マイフィンランドルーティン100

ヘルシンキ暮らし編

北欧好きをこじらせて
ついに移住した私が
暮らしの中で見つけた
愛してやまないこと

週末北欧部 chika

はじめに

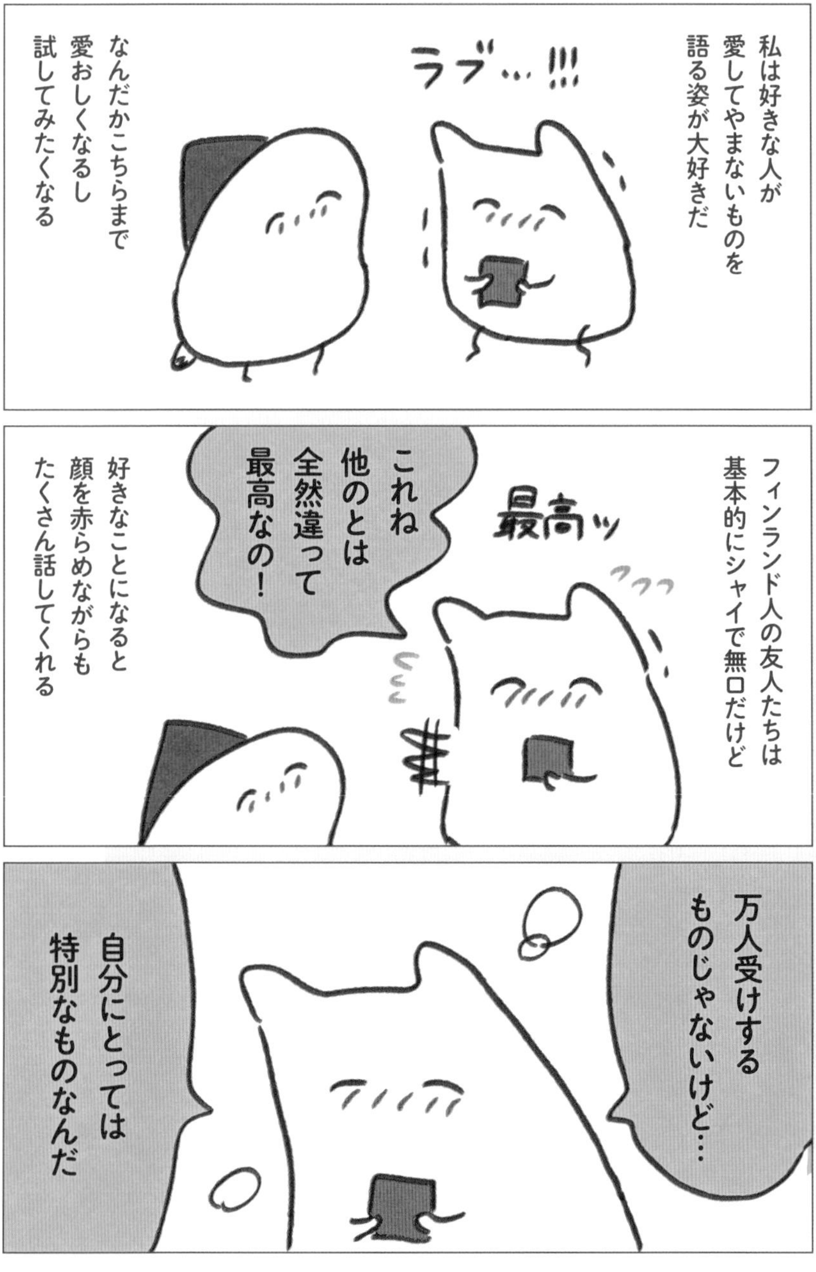

私は好きな人が愛してやまないものを語る姿が大好きだ
ラブ…!!!
なんだかこちらまで愛おしくなるし試してみたくなる
フィンランド人の友人たちは基本的にシャイで無口だけど
最高ッ
これね他のとは全然違って最高なの!
好きなことになると顔を赤らめながらもたくさん話してくれる
万人受けするものじゃないけど…
自分にとっては特別なものなんだ

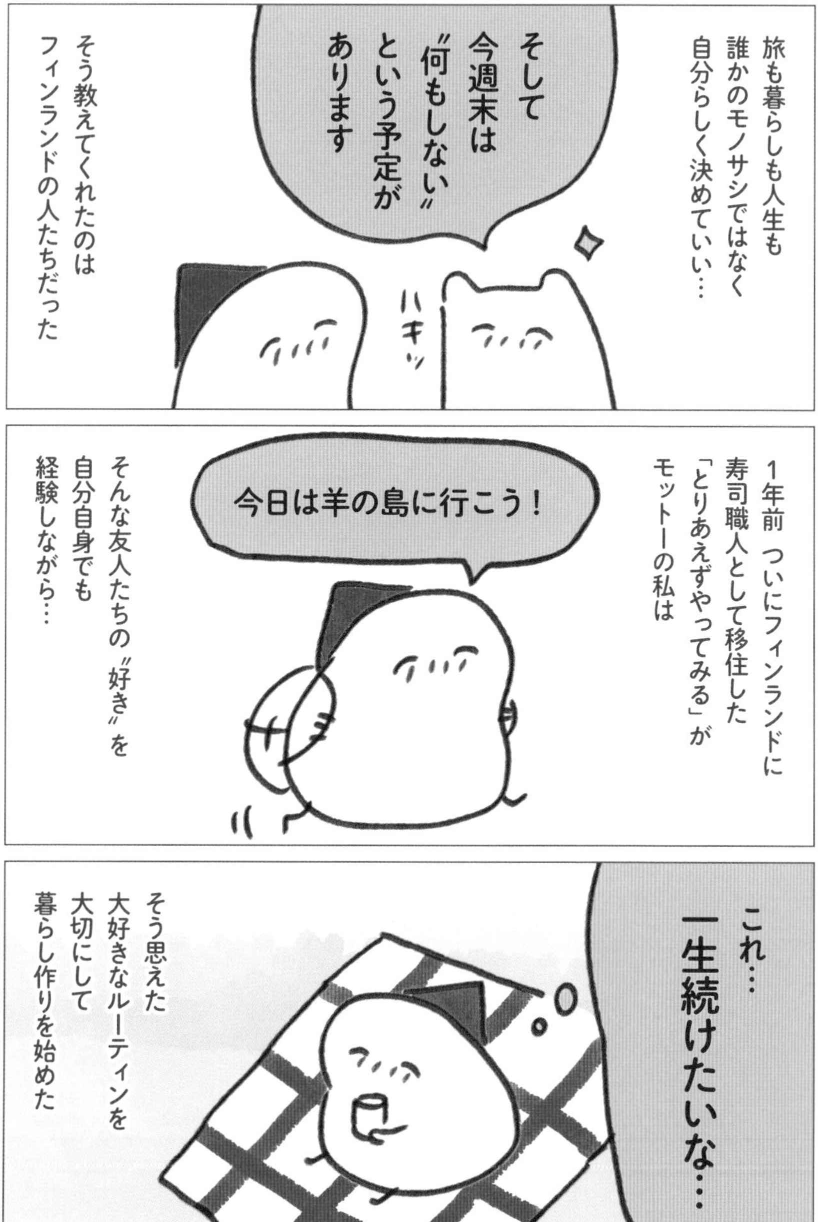

旅も暮らしも人生も
誰かのモノサシではなく
自分らしく決めていい…
そして今週末は〝何もしない〟という予定があります
ハキッ
そう教えてくれたのは
フィンランドの人たちだった
1年前 ついにフィンランドに
寿司職人として移住した
「とりあえずやってみる」が
モットーの私は
今日は羊の島に行こう！
そんな友人たちの〝好き〟を
自分自身でも
経験しながら…
これ…
一生続けたいな…
そう思えた
大好きなルーティンを
大切にして
暮らし作りを始めた

ガイドブックを買えば
それなりの情報が
手に入るけれど
あなたが
本当に好きな
フィンランドの
おすすめ
教えて！
と日本の友人たちから
聞かれるたびに

私は「自分が本当に
愛してやまないものだけ」を
伝えている
ありますッ…!!
何日滞在
する…!?
買
食

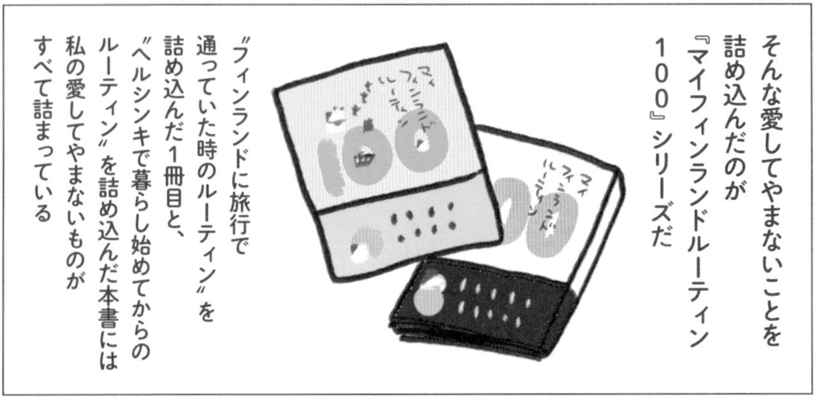

そんな愛してやまないことを
詰め込んだのが
『マイフィンランドルーティン
100』シリーズだ
〝フィンランドに旅行で
通っていた時のルーティン〟を
詰め込んだ1冊目と、
〝ヘルシンキで暮らし始めてからの
ルーティン〟を詰め込んだ本書には
私の愛してやまないものが
すべて詰まっている

初めてフィンランドに
行く人には
むぐ…
〝初めてとは思えない
ディープな旅の案内書〟として
何度も旅している人とは
そうそう！これなんだよ！
わわわっ
…と
本を通じて
一緒にフィンランド愛を
分かち合えたら嬉しいです
1人でも多くの人が
自分らしい〝ルーティン〟に
気づくきっかけに
なりますように
ヒュヴァー　マトカー
Hyvää matkaa!
(よい旅を)

目次

Part 1 食べる

Column

Part 2 飲む

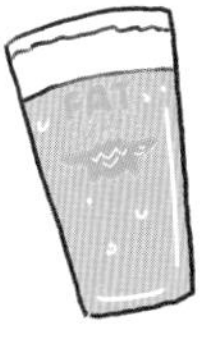

Part 3 楽しむ

Part 4 買う

＊本書に掲載している情報は、2023年8月現在のものです。

ヘルシンキ中心部の地図

Hakaniemi《ハカニエミ》方面
36 FUN BOWLING & CAFÉ ファン ボウリング アンド カフェ
52 Finnish Music Hall of Fame フィニッシュ ミュージック ホール フェイム
Herttoniemi《ヘルットニエミ》方面
12 Ravintola Fat Lizard Herttoniemi ラヴィントラ ファット リザード ヘルットニエミ
49 Roihuvuoren Kirsikkapuisto ロイフヴォリ キルシッカプイスト
55 Lammassaari ランマスサーリ
Suomenlinna《スオメンリンナ》方面
51
遠出スポット
Vantaa《ヴァンター》
47 Heureka ヘウレカ
54 IKEA Vantaa イケア ヴァンター
72 Haltiala Domestic Animal Farm ハルティアラ ドメスティック アニマル ファーム
85 Eestin extrat エースティン エクストラット
97 Marimekko Outlet Tammisto マリメッコ アウトレット タンミスト
Järvenpää《ヤルヴェンパー》
53 K-Citymarket コー シティマーケット
33
32
67-1
34
61
74
40
20-2
93
67-3
96-2
43
39
95-1
60
31
3
96-1
77
29
87
8
79
13
48
95-2
20-3
28
22
20-1
41
37
9
94
19
88
73
80
96-4
100
15
21
16

本書に登場するスポットの地図です
数字はエピソード番号と対応しているので
漫画と併せてお楽しみください

ヘルシンキ中心部

2 Layers レイヤーズ
3 Harald ハラルド
8 Via Tribunali ヴィア トリブナリ
9 19 EKBERG エクベリ
13 The Glass ザ グラス
14 Fat Ramen ファット ラーメン
15 Maxill マクシル
16 Boneless Burger ボンレス バーガー
20-❶ Noodle Master ヌードル マスター
20-❷ Dong Bei Hu ドン ベイ フウ
20-❸ Xiao Mei Lin Dumplings シャオ メイ リン ダンプリング
21 Café Succès カフェ サクセス
22 STORY ストーリー
27 ROLLING CHEESE ローリング チーズ
28 Savoy サヴォイ
29 48 Fazer café 本店 ファッツェル カフェ
31 PIEN ピエン
32 Bierhaus München ブラウハウス ミュンヘン
33 Woolshed Helsinki ウールシェド ヘルシンキ
34 K-Supermarket コー スーパーマーケット
37 Bier-Bier ビァ ビァ
38 Apotek アポテック
39 Bardem バルデム

40 パブトラム乗り場
41 Pub Ludvig パブ ルドヴィク
42 Hemingway's ヘミングウェイ
43 Wall St. Bar ウォールストリート バー
57 Helsinki Art Museum ヘルシンキ アート ミュージアム
60 STOCKMANN ストックマン
61 74 ヘルシンキ中央駅
67-❶ Oodi オーディ
67-❸ Roasberg ロズベルグ
73 MOW モウ
77 My O My マイ オー マイ
79 Artek アルテック
80 Artek 2nd Cycle アルテック セカンド サイクル
87 Finnska souvenirs / sauna boutique フィンスカ スーベニア／サウナ ブティック
88 Finarte フィンアルテ
93 Amos Rex アモス レックス
94 Optiicat オプティキャット
95-❶ Beamhill ビームヒル
95-❷ My O My Fashion マイ オー マイ ファッション
96-❶ suomalainen kirjakauppa スオマライネン キルヤカウッパ
96-❷ Moomin Shop Lasipalatsi ムーミン ショップ ラシパラツィ
96-❹ zicco ジッコ
100 Papershop ペーパーショップ

6 Café Villa Angelica カフェ ヴィラ アンジェリカ
56 Seurasaari セウラサーリ
58 Sports bar Töölö スポーツ バー トーロ
76 relove リラブ
Töölö《トーロ》方面
2
27
57
42
Kamppi《カンピ》 Centre《センター》
18 The Souk ザ スーク
67-❷ ESPRESSO HOUSE エスプレッソ ハウス
78 Musti ja Mirri Kamppi ムスティ ヤ ミッリ カンピ
91 Happy Socks ハッピー ソックス
92 MARC O' POLO マルコ ポーロ
96-❸ XS Lelut エックスエス レルト
38
14
Ruoholahti《ルオホラハティ》方面
89 Verkkokauppa.com ヴェルッコカウッパドットコム

マイフィンランドライフ

フィンランド暮らし1年目のある1日の過ごし方
（夜シフトの仕事の日）

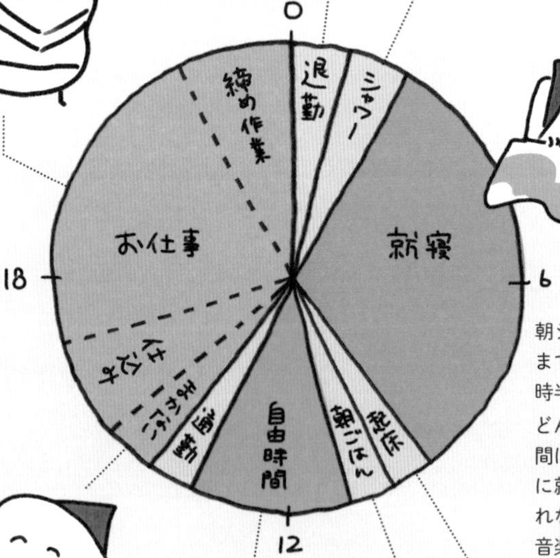

時々1人でバーに寄り、ビールを1杯楽しんでから帰ることも。平日深夜のヘルシンキの街は静かで、なんだか別の街に来たような気持ちになる。

朝シフトは8〜16時まで、夜シフトは15時半〜閉店まで仕事。どんなに忙しくても睡眠時間は7時間確保できるように就寝する。どうしても眠れない時は、ゆったりした音楽を聴きながらキャンドルを灯して夜を味わう。

朝シフトのシェフが持ち回りで作るまかないはフィンランド料理が多く、必ずヴィーガン向けの料理も用意するのがルールだ。

自由時間は家でまったり過ごすことが多いけれど、天気がよい日は散歩して図書館でケーキを食べることも。

ラジオの音で目覚める。

豆を挽いてハンドドリップで淹れたコーヒーと、ヨーグルトにはちみつと冷凍イチゴを加えたものが定番の朝食。

休みの日には

レストランの仕事は、日曜と月曜が休み。月曜日は漫画を描く日と決めていて、日曜日は必ず「空っぽの日」にするのがルール。島にピクニックに行ったり友達に会ったりと、その日の気分で過ごす。

フィンランド暮らしの間取り

お気に入りの大きな窓辺には備え付けの棚があり、植物や本を置いている。

壁際にデイベッドを配置して、マリメッコのクッションを背もたれにしながらソファとして使っている。

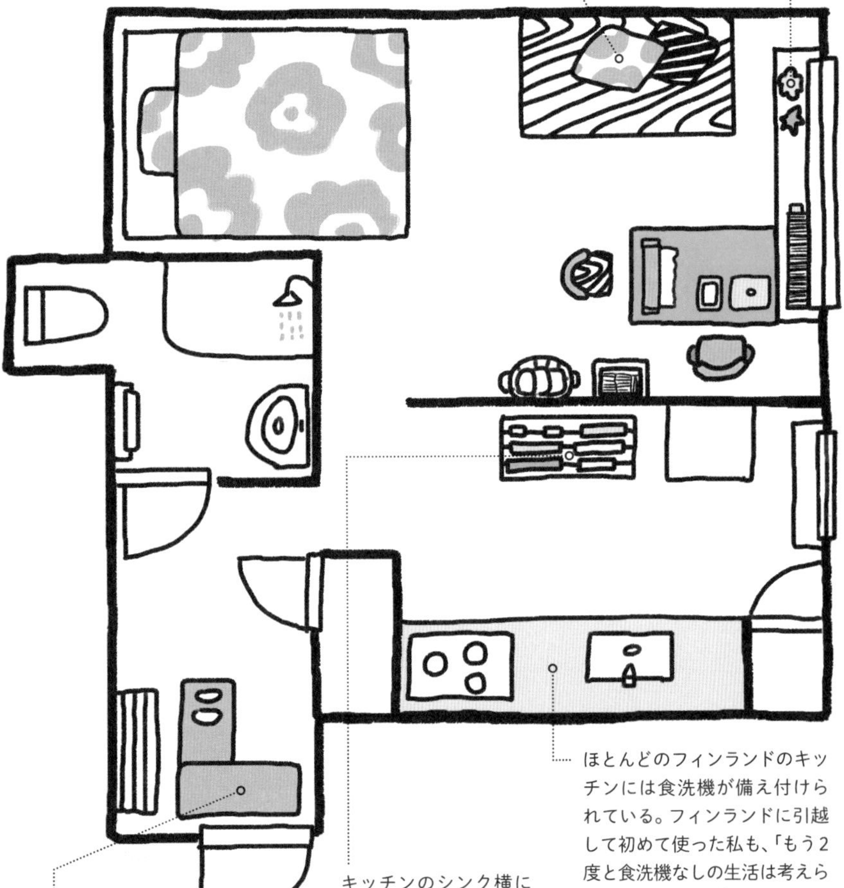

ほとんどのフィンランドのキッチンには食洗機が備え付けられている。フィンランドに引越して初めて使った私も、「もう2度と食洗機なしの生活は考えられない……！」と虜になった。

キッチンのシンク横には洗濯機がある。バルコニーがないので（あったとしても冬はマイナス気温だけど……！）このスペースで部屋干ししている。

フィンランドには日本と同じく、「靴を脱ぐ」文化がある。玄関にはマットを敷いて、靴についた雪を払えるスペースも作っている。

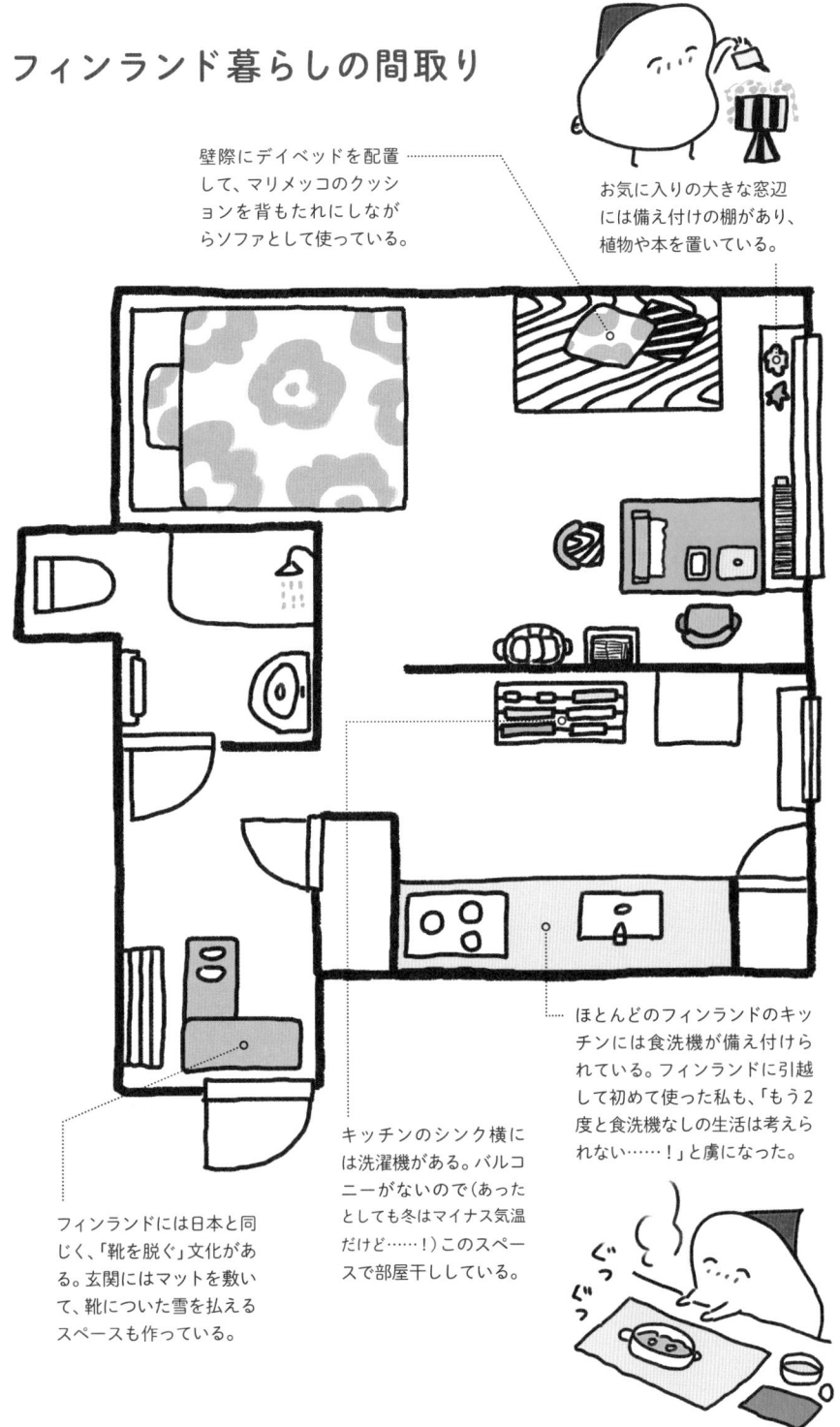

暮らしてわかった フィンランドのおいしい1年

フィンランドには、国で定められた祝日以外にも楽しい「お祝いの日」があり、そのたびにおいしいものが出回る。

2月

友達の日

バレンタインデーはフィンランドでは「友達の日（ユスタヴァンパイヴァ）」と呼ばれ、友達・同僚・恋人など親しい人たちにカードや花、チョコレートを贈る。スーパーには日本と同じようにいろんなチョコレートが並ぶけれど、あげる相手は友達でもいいんだと思うと、なんだか選ぶ楽しみも広がってくる。

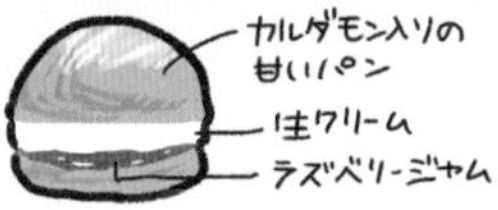

ソリの日

イースター7週間前の「ラスキアイス・スンヌンタイ」には、大人から子どもまでソリで滑ったり、ラスキアイスプッラという菓子パンを食べたりする。このパンがおいしくて、2月になるとスーパーやベーカリーでいろんな種類が売り出されて楽しい。昔は「この日にソリに乗って、遠くへ滑れば滑るほど翌年は豊作になる」と言われていたそうだ。

4月

イースター

イースターには卵を形取ったチョコレートとともに、マンミというライ麦プディングが売り出される。このマンミは見た目が真っ黒で、フィンランド人でも好き嫌いが分かれる代物だ。大きなパックから、1人で食べ切れるサイズまであるので、試してみるのも楽しいと思う。

5月

ヴァップ

春の訪れを祝うこの日は、多くの人が太陽の下でピクニックを楽しむ（小雨程度ならピクニックを敢行する若者も多い）。カルダモン入りのドーナツや、ティッパレイパという脳みそみたいな形の揚げ菓子に、フィンランドのはちみつ酒シマが定番のお供だ。

6月

夏至祭

1年で最もソーセージが売れるのが、夏至祭だ。焼いたソーセージに、甘いマスタード・シナッピをたっぷりと塗って食べる。多くの人がサマーコテージでたき火を囲んだり、サウナやお酒を楽しんだりしながら、ゆったりとした夏の日を過ごす。

12月

クリスマス

クリスマスはハムが一番売れる季節。大きな豚肉をブロックで買って、自家製ハムを作る人たちもいる。スパイス入りのホットワイン・グロッギや、星の形をしたクリスマスパイも、フィンランドの冬の楽しみだ。

Part 1

食べる

フィンランドのレストランで働き始めた頃…
同僚シェフ
チカ 自宅では自炊してるの？
半々ですね 平日はレストランのまかないもあるし…！
えらいね 僕は休みの日は宅配100%だよ 料理は仕事の時だけ！
えっ!! こんなにも料理上手なのに…!?
ハハハ
にゅっ
僕は家の料理担当で 今日も家族の夕飯を作ってから出勤したよ
十人十色だね
フィンランドではお父さんが料理する家庭も多い

みんなの台所の
必需品も様々で…
フィンランドの
カッテージチーズ
おいしい米
買ってるんだ
日本米
チョコプディング…
〝これがあれば安心〟
そんな私にとっての
必需品を探したくて
どっちがいいん
だろうか…
ムム…
友人の家を訪問すると
冷蔵庫を見せてもらうのも
マイブームだ
(もちろん許可を得て…)
そんなに
楽しい？
わぁぁ…!!

毎日食べているフィンランドのお菓子がある

実は移住後　毎日欠かさず
食べ続けている物がある…
はちみつカシューナッツだ…!!
Estrella
HONEY & SALT
CASHEW MIX
NO PALM OIL

ESTRELLA《エストレラ》というブランドは
スウェーデンのチップスメーカーで
ストック用も
買っとこ…
フィンランドのスーパーなら
どこでも見かける定番商品だ
Pringles
SIPSSIPS
Broadway

中でもこのはちみつカシューナッツは
私の大好物で
初めて食べた時は
「ついに出会えた!!」と感動した
ローストしたカシューナッツと
ピーナッツがたっぷりのはちみつで
カリカリにコーティングされていて…
少し効いた塩味が
またいい!!
完璧ッ…
Estrella
HONEY & SALT
CASHEW MIX

それ以降 家には常に
はちみつカシューナッツのストックがあり…
朝も…
夜も…
カリリリ
リリ…
本当にハマると
そればっかり
食べるよね…
毎日食べ続けているほどハマっているのだ

ヘルシンキで話題のパン屋さんがある

ある日 立て続けにヘルシンキに住む知人から…
チカさん！ 最近オープンしたパン屋さん最高ですよ!!
ご近所さんの友人→
チカ！ あのパン屋行った!?行列できるけど超おすすめ!!
グルメなバーテンダーさん
あるパン屋さんを激推しされた

そして早速行ってみた
お店もかわいいッ
LAYERS
BAKERY
ここは2022年10月にオープンしたLayers《レイヤーズ》
クロワッサンをメインに扱うお店だ

MAP

名物のクロワッサンを2種購入し
買ってすぐに衝撃を受ける…
レッ…レイヤーが
美しすぎるッ…!!
わわわ…
外はパリッパリ 中はしっとり…

お店は有名なバリスタの方が作ったそうで
クロワッサンはもちろん…
ちょ…ちょっと待って…
カフェラテがおいしすぎる!!
大好きなフルーティー系…!!
コーヒーだけでも通ってしまいそう!!!
こうしてまた
お気に入りのパン屋さんが増えたのだ

ヴァイキングレストランで乾杯！

ある日友人に連れて行ってもらった
ヘルシンキの中心地にある
ヴァイキングレストラン Harald《ハラルド》
ヴァイキングがテーマのお店でいつかここで自分の誕生日パーティをやってみたいんだ！
ステキ…！
HARALD
RIIMUNKAIVERTAJAN HIRVIPATAA

ヴァイキング時代にタイムスリップしたかのような店内…
ヴァイキング船だ！
店員さんの服も伝統的でかわいい…

MAP

さらにすべてのテーブルに
〝ヴァイキングの帽子〟が用意されていて
ヤバ…！
楽しい…！
わぁぁ〜ッ

メニューはがっつりヴァイキング感のある
お肉メニューをチョイスして
オリジナルビールで乾杯！
このタール入り
ビールもおいしいッ
ジョッキも
豪快！
遊び心満点で童心に帰ってしまう…
だけど大人向けの
アトラクション系レストランだ

迫力満点のカラクッコを食べる

フィンランドにはいろんなパンがあるけれど…
やっぱり1番迫力のあるパンはこれだと思う

Savo《サヴォ》地方のソウルフード
Kalakukko(カラクッコ)!
ビジュアル強い!!

お弁当的ポジション…!?
カラクッコはライ麦パンの中に豚バラ肉と小魚を詰めてじっくり焼き上げた料理で昔は山仕事に丸々持って行ったそうだ
ヘルシンキではクリスマスマーケットなど特別なイベント会場で売られている

そのままでも十分おいしいけれど
マーケットの売り子さんのおすすめは
スライスしたカラクッコの表面を
カリッと焼いて食べる方法
じゅわ〜
おいしそう…

淡泊な小魚と豚肉の旨味が合わさって
とてもおいしい
おいしい〜！
コクがある！
ライ麦パン自体の
食感やフレーバーも
いいんだよね
自分は焼かず
そのままの味が好き
今では見かけると必ず買うお気に入りになった

フィンランド人は国産リンゴへの愛が強い

秋になるとスーパーでは
〝フィンランド産〟のリンゴが出回る
フィンランドのだ！
わっ
KIITOS
OMENA
SUOMALAINEN《スオマライネン》（フィンランドの）
OMENA《オメナ》（リンゴ）の表記が目印

フィンランドのリンゴは小さくて
さっぱりとした酸味がある
フィンランド人は国産リンゴへの愛が強く…
イタリィ…
スペイン…
友人も売り場にフィンランド産がないと
しょんぼりしている

ある日リンゴの皮を剥いて
食べていたら…
えぇッ!!
もったいないッ…!!
フィンランド産なら
皮もそのまま
食べちゃうよ!!

と言いながら
皮も種も食べきっていた
リンゴを
食べていれば
医者いらずさ
おいしいッ…
シャクシャク
国産リンゴへの絶大な信頼と愛を感じて
私もスーパーでは
フィンランド産を探すようになった

こだわりのお屋敷カフェにお邪魔する

Seurasaari《セウラサーリ》島の近くに
木々に囲まれたお屋敷のカフェがある
かわいい家だなぁ…
えッ!! カフェなの!?
CAFE
Café《カフェ》 Villa《ヴィラ》 Angelica《アンジェリカ》
水色のお家がかわいくて
吸い込まれるように入ったのが始まりだ

中に入ると
まるで絵本から飛び出してきたような
手作りケーキが並ぶ!!
こっ…天国!?!
BORCH KEITTO
どこか懐かしい
アンティーク調の内装も相まって
ここだけ時間が止まったような
不思議な空間だ

MAP

ケーキは「自分で取らないで！」と
注意書きがあり
店主のおばあさんが崩れないように
慎重に切ってくれる
一見怖そう
だったけど
優しい…
このケーキ
おいしいのヨ
支払いは現金のみ
店主はマイペースで
常連さんも気長に順番を待っている
まさに〝お邪魔します〟という感覚で楽しい

緑たっぷりの庭で食べた
具だくさんのアップルパイは見た目にも幸せで…
おいしい〜〜ッ!!
森の中には店主のこだわりが守り抜いた
至福の空間ととびきりのケーキがあった

パンケーキは誰かと一緒に

フィンランドに来て印象的だったのは…
パンケーキ焼くけど一緒に食べる？
パンケーキ食べに来る？
複数のフィンランド人の友人からパンケーキのお誘いがあったことだ
パンケーキ!?!

フィンランドでもパンケーキは家庭おやつの定番
日本のものよりも薄くホットケーキとクレープの間のようだ
専用のフライパンまであるんだね！
ふふ

ちなみにスーパーにはいろんな種類のパンケーキミックスが売られていて…
いつもこれ買ってるよ
お気に入りはこれだね！
みんなそれぞれ好きな粉があるのも楽しい
Fazer
GLUTEENITON
LETTUJAUHOSEOS
Myllärin
LUOMU
LETTU- ja
VOHVELIJAUHO

焼けたパンケーキにはベリーやはちみつジャムなどをのせるのが定番
おいしい…！
薄くて小さいぶん何枚でも食べられそう…
まだまだ焼くよ！
誰かと食べると倍おいしいパンケーキはそんな存在なのかもしれない

フィンランド人がハマるホワイトピザの虜になる

ある時フィンランド人の友人と
ピザを食べることになった
ホワイトピザが絶品のお店なんだよね…!!
ホワイトピザ…!!
PIZZERIA CIAO
VIA TRIBUNALI
そう言われてやってきたのが Via《ヴィア》 Tribunali《トリブナリ》 だ

2022年には
〝ヘルシンキで最もおいしいピザ屋〟に
選ばれた 愛されピザ屋さん
お腹が空いてなくても食べたくなる味なんだよ!!
力説ッ
MENU
楽しみ…
ピザを愛しすぎたオーナーのお父さんが
自宅の裏庭に建てた自作の直火オーブンで
何年もピザを作り続けたのが始まりらしい

MAP

現れたのは直火450℃で焼き上げられた
シンプルなホワイトピザ…！
なッ…何これ
おいしすぎる！！
でしょ!?
ガーリックオイルと
モッツァレラが
ベースになったピザは
ガツンとクセになる味…！！
おすすめのホワイトピザは
"AGLIO.OLIO E PEPERONCINO"
レッドピザなら"DIAVOLA"

いつもトマトベースのピザを
注文しがちだった私も衝撃を受け
それ以来フィンランドで食べるピザは
ホワイトピザ一択になった
むッ…無性に食べたく
なるんですけどッ…！！
中毒性のある
ピザだ…！
プルプル
PIZZA PIZZA PIZZA PIZZA
デリバリーもあるので
嬉しい（危険ッ）

季節を感じるベーカリーでアーモンドクロワッサンを買う

フィンランドにパン屋さんは数あれど…
わざわざ買いに行きたくなるほどの
パンとの出会いは希少だ
EKBERG《エクベリ》で
パン買ったんだ
明日の
朝ごはんに
どうぞ！
ある日 友人の家で
パンをお土産にもらった時…
ありがとう！
わ〜

恋に落ちた
なッ…何これ
おいしすぎる…!!
はわわわッ
それはアーモンドクロワッサン…！
ざっくりした生地にバターシュガーの甘味…
そして中にはたっぷりのアーモンドクリーム…!!

MAP

それ以来アーモンドクロワッサン目当てに
EKBERGに通っている
ベーカリーにない時は
隣のレストラン内の
ショーケースにあることもあるので
ちゃんと探す
あった！

そして大体アーモンドクロワッサンと共に
季節のフルーツを使ったデニッシュを
買うのがルーティン
リンゴのデニッシュもください！
OK！
こうしてベーカリーで
季節を感じるのも幸せなのだ

チョコレートのボックス食いに感動

ある年のクリスマス
フィンランド人のお宅にお邪魔して
ステキだなと思ったのが…
チョコ食べよー
もぐもぐ
超でかいッ!!
チョコレートのボックス食いだ

私は今までチョコレートを箱で買っても
ちまちま何日かかけて食べていたので
海外ドラマで主人公がやけ食いする時のやつだ…!
?
もぐもぐと1箱を気持ちよく食べ切る
友人の姿に感動した…

フィンランドのスーパーには
いろんなチョコレートボックスが売られていて
特にクリスマスとバレンタインは種類が増える
私は何か特別なことが
あった時のお祝いとして
チョコレートボックスを買う
これにしよう！
フィンランドのFazerかスイスのLindtがスキ！

そして翌日のことは考えず
もぐもぐと気持ちよく頬張る！
特別な気分…！
もぐんっ
海外っぽい…
いろんな味の宝石のようなチョコを抱えて食べる
私のささやかな楽しみだ

スーパーで見つけると必ず買ってしまうフルーツがある

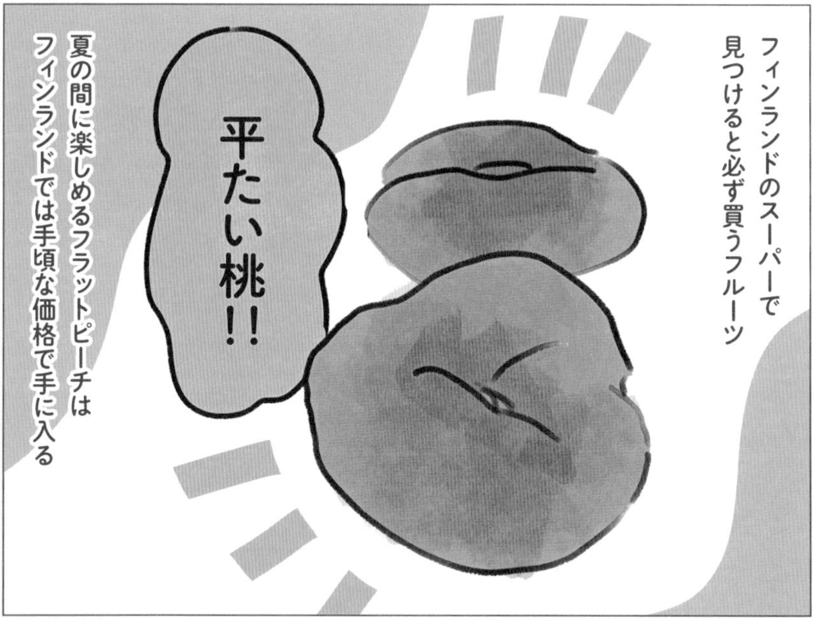
フィンランドのスーパーで
見つけると必ず買うフルーツ
平たい桃!!
夏の間に楽しめるフラットピーチは
フィンランドでは手頃な価格で手に入る

皮ごと食べることもできるので
食欲のない時はささっと桃モッツァレラを作る
桃をよく洗って切る
ナイフでぐるりと
切れ目を入れながら
8等分にする
固すぎず
柔らかすぎない
桃を選ぶと 甘くて
みずみずしくて
最高…!
ふふ

次にモッツァレラを手でむしり
桃と共に皿に盛りつける
モッツァレラは
切るんじゃなくて
手でむしるのが
おいしいんだよね
むし
むし
仕上げにはちみつをかけ
黒こしょうをふって完成！

こうして出来た1皿は
フィンランドの夏のご馳走
ちなみにフィンランドには
"モッツアレラはムースの肉"
というジョークがあります…
もちっ
最高ッ…!!
レモンの皮を散らしたり
ブッラータを使ったりしてもおいしい

お気に入りのランチスポットがある

愛してやまないビール会社直営のレストランが
マリメッコアウトレットのすぐ近くにある……！
Ravintola《ラヴィントラ》 Fat《ファット》 Lizard《リザード》 Herttoniemi《ヘルットニエミ》
通称トカゲレストランだ
FAT LIZARD
RESTAURANT · BAR
14時過ぎちゃったから今日はトカゲ！
marimekko mekkon
マリメッコ食堂は14時までなので
買い物に夢中でランチを食べ損ねた時は
必ずトカゲレストランに行く

特におすすめなのがランチで
選べるメインにサラダ&スープ
ビュッフェ さらにコーヒーと
小さなデザートもついている
スープ嬉しい…
店内は広々としていて
ランチは平日11時から15時までやっている

MAP

この日のメインはカットステーキで
デザートはかわいいケーキ
これで15€は
お得すぎでは…!?
13時を過ぎると人も少なく
落ち着いて食事ができる

そして晴れたフリーの平日は…
テラス席で生ビールを飲むのもアリ…!!
青い空と…
トカゲの生ビール…!
最高すぎるッ!!
また…!?
ここは私の大人の隠れ家的
ランチプレイスなのだ

職場のボスとの思い出のランチタイム

フィンランドのお寿司屋さんでの初出勤日
ボスがお気に入りの店のランチに連れて行ってくれた
ノルディックビストロ The《ザ》 Glass《グラス》
前菜 メイン デザートのランチコース(29€)が人気のお店だ

ここはバーテンダーも最高なんだ
僕はジントニックを飲むけど
チカもどう?
ぜひ…!!
お昼からジントニック
初日で緊張しっぱなしの私をボスが気遣ってくれた気がした

MAP

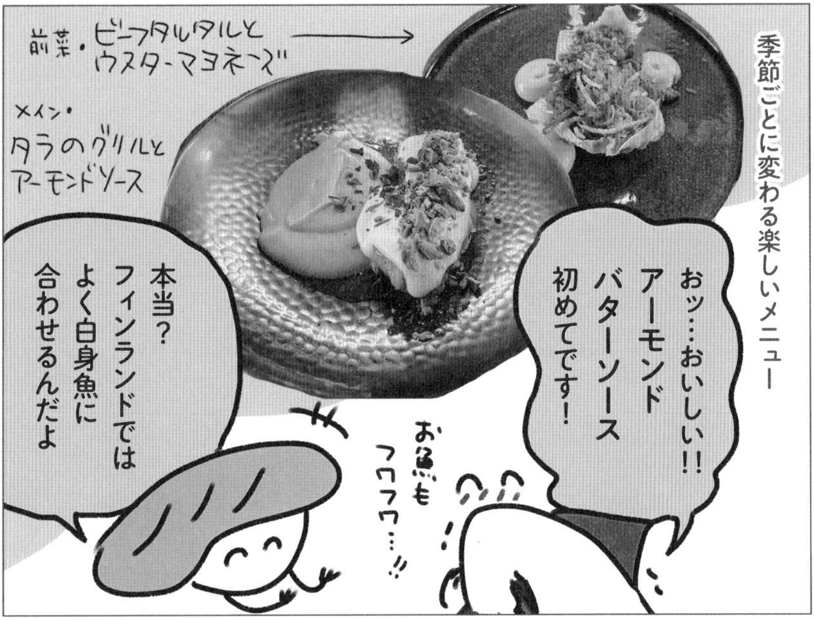
季節ごとに変わる楽しいメニュー
前菜・ビーフタルタルとウスターマヨネーズ
メイン・タラのグリルとアーモンドソース
おッ…おいしい!! アーモンドバターソース初めてです!
本当? フィンランドではよく白身魚に合わせるんだよ
お魚もフワフワ…!!

そして一層感動したのが…
パンに塗るスプレッドめちゃくちゃおいしい!!!! 永遠に食べられる!!
衝撃ッ
はむ
スプレッドも季節によって替わる! この日はローストバター
パンも自家製だよ
コーヒーズズ…
これからの仕事が楽しみになった初めてのボスとのランチだった

北欧風とんこつラーメンは優しい味だ

2015年にオープンしたヘルシンキ初のラーメン専門店Fat《ファット》 Ramen《ラーメン》
お店のあるHietalahti《ヒエタラハティ》 Market《マーケット》 Hall《ホール》は赤いレンガ造りで雰囲気も抜群！夏はフリーマーケットでも有名だ
KAUPPAHALLI

ラーメン好きの同僚のシェフやフィンランド人の友人が口を揃えておすすめするラーメン…
サーモンラーメンがあるッ！
サーモンやマッシュルームを使った北欧ラーメンも面白い
FAT RAMEN
MENU
屋内はフードコートみたいにいろんなお店が入っている

MAP

1番人気はやっぱりとんこつ！
お店で丁寧にとったスープは
とってもクリアな味
人生で1番優しいラーメンかも…!!
FAT RAMEN
まろやかっ
まろやかで優しいスープが
体にしみ渡るのを感じる…！

とんこつラーメンだけど
日本のとんこつラーメンとは
少し違うところも面白い
こってりではなく
あっさり…
だけどまろやかで
素材の優しい味…
これが北欧風とんこつラーメン…
ふふ…
ローカライズされた日本食を食べると
その土地の人々に愛される味付けを
知ることもできて楽しい

職場のボスたちのお気に入りの店でディナー

フィンランドのお寿司屋さん初出勤日のディナーも
ボスたちがレストランに連れて行ってくれた
常連さんに愛される街のレストラン
Maxill《マクシル》では
イタリア・フランス・北欧らしさが
ミックスされた料理が味わえる

フィンランドに来たからにはトーストスカーゲンを食べなきゃね!
トーストスカーゲンとは
小エビのオープンサンド!
Maxillのはボリュームたっぷりだ
わあぁ…

MAP

口いっぱいに広がる小エビの旨味を
噛みしめていると…
HAPPY…
ボスたちのおすすめメニューも続々登場！
バルトニシン＆
ポテトサラダ
熟成肉のステーキ

地元のシェフが愛する店にハズレなし！
おいしい料理に会話も弾む
こうして私もシェフたちのお気に入りの
お店を聞いては通うようになったのだ

ヘルシンキNo.1！ とろけるバンズのハンバーガー

もうここ以外のバーガーは
しばらく食べていない…というほど
ハマっているバーガーがある
はむっ
ん〜〜ッ
Boneless《ボンレス》 Burger《バーガー》の
バーガーがおいしすぎるのだ

きっかけはある日レストランに
差し入れられたバーガー…
なッ…何これ
おいしすぎるん
ですがッ…!?
僕が前に働いていた
お店の同僚が差し入れ
してくれたんだ
バンズがとろけるッ
あまりのおいしさにすぐ店名を聞き
おすすめのカスタマイズも教えてもらった

MAP

バンズは必ず
Martin's《マーティンズ》 Potato《ポテト》 ban《バン》を注文する！
おすすめはチーズバーガーか
ピリ辛のSenõr《セニョール》 Jalapeno《ハラペーニョ》！
とろけるバンズにジューシーすぎるパティ…そして濃いチーズッ…
完璧!!

週1ペースで食べたくなる
中毒性のある激うまバーガーなのだ
LOVE…!!!
店ごと箱推しッ…
あとバッファローチキンとアジアンBBQウイングも超絶おいしい…！
ハマりすぎ注意！
＊2023年ヘルシンキで1番おいしいバーガーに選ばれていた！

ラップランドの焼きチーズをモキュモキュ食べる

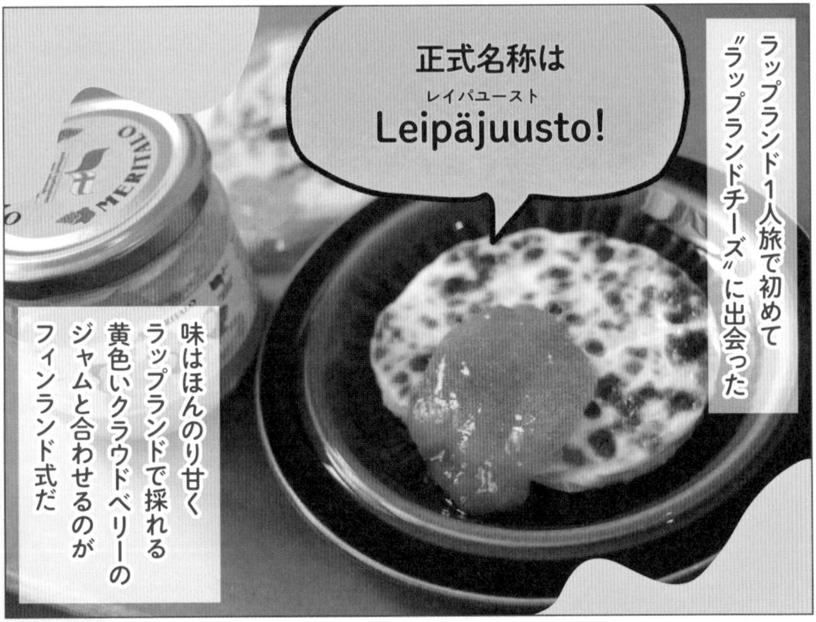
ラップランド1人旅で初めて
〝ラップランドチーズ〟に出会った
正式名称は
Leipäjuusto《レイパユースト》!
味はほんのり甘く
ラップランドで採れる
黄色いクラウドベリーの
ジャムと合わせるのが
フィンランド式だ

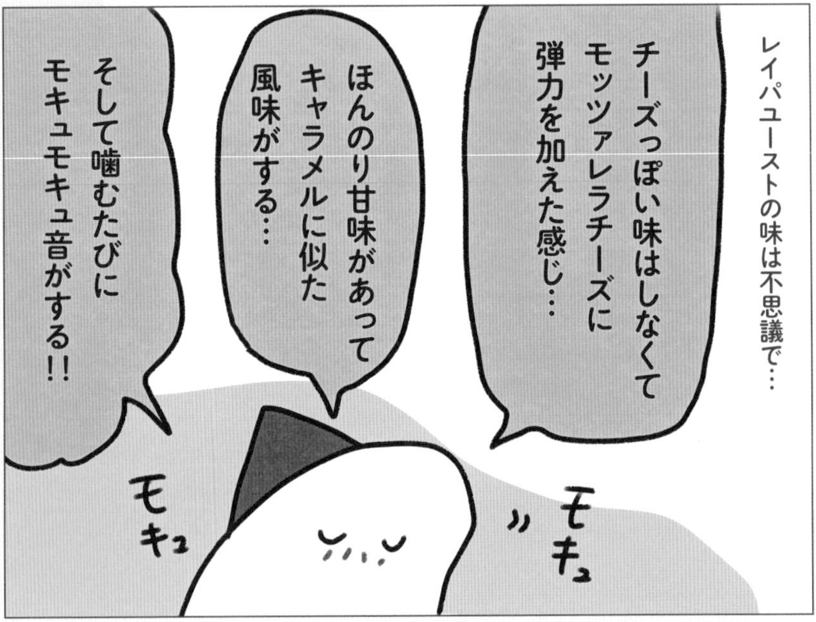
レイパユーストの味は不思議で…
チーズっぽい味はしなくて
モッツァレラチーズに
弾力を加えた感じ…
ほんのり甘味があって
キャラメルに似た
風味がする…
そして噛むたびに
モキュモキュ音がする!!
モキュ
モキュ

ヘルシンキのスーパーでも手に入る
このチーズとジャムは私の冷蔵庫の必需品
\チン!!/
←ジャムを持って待機
そのままサラダに加えてもいいけれど
私は温めてクラウドベリージャムと
食べるのが1番好きだ

温かいチーズと
濃いクラウドベリーのジャムの
マリアージュが最高…!
これは新感覚チーズスイーツ…
モキュ
モキュ
モキュ
モキュ…
噛むたびに鳴るモキュモキュという
音も愛おしい特別なチーズだ

山盛りの野菜が食べられる地中海レストランがある

ここはKamppi《カンピ》 Centre《センター》の5階にある
ランチが人気の地中海レストランThe《ザ》 Souk《スーク》
ランチタイムは多くの人が訪れるので
11時のオープンと同時に入店する
SOUK

ランチは15・5€で
選べるメイン1品とコーヒーか紅茶
そして迫力のサラダビュッフェがついている！
地中海料理は
野菜をたくさん使うのが特徴！
ビュッフェにはいろんな
野菜料理が並ぶ
山盛りの地中海の
おそうざいッ…

MAP

サラダを取ったら窓辺の席へ
カンピの広場を歩く人々や
遠くにはヘルシンキ大聖堂も見える
お気に入りの席だ
この日はサーモン！
景色を見つつ
山盛りのサラダを楽しんでいると
メインが運ばれてくる

そして何気に好きなのが
オーダーの番号札がモルックのピンなこと
かわいい…
5
小さな〝好き〟がたくさんある
街中のレストランだ

フィンランド人はザリガニパーティに本気だ

フィンランドの夏といえば…
ザリガニパーティ!!
お店にはザリガニパーティ用のグッズが並ぶ
ザリガニナプキン
ザリガニプレート
ザリガニハット
ザリガニグラス
ザリガニナイフ
ザリ…
ザリ..
とにかくグッズ展開がすごい!
havi
havi
20
33×33 cm
Crayfish headband

友人一家の家で〝ザリパ〟をした時には
EKBERG《エクベリ》でザリガニパン買ってきました!
この時期限定のザリガニの形をしたパンまで用意されていた!(味はカルダモンパン)

MAP

そんな国民食ザリガニだが
なんと冷凍ならスーパーで1年中手に入る…!
サイズも様々だけど
大きめを買うと身がたっぷりでいい!
(16〜22尾入りで約26€)
JUMBO
RAPUJA
KRÄFTOR
LOUISIANA-FLUSSKREBSE
ALFOCAN
1 KG NETTO
16-22

ちなみにザリガニの味はエビとカニの間で
臭みもなく濃厚でおいしい…
冷凍ザリガニは
既に茹でてある
流水で解凍したら
少量の水とディルで
蒸して食べるのが好き!
冷凍ザリガニの存在に気づいてからは
友人が来るといつでも気軽に
〝ザリパ〟を楽しむようになった

愛してやまない三大中華料理店

中華料理はおいしい
やっぱりふと食べたくなるのはアジアの味だ
いろんな店を試して決まった
私の三大中華料理店の1つめは
Noodle《ヌードル》 Master《マスター》

友人は略して“ヌーマス”と呼んでいる
もっちもちの麺がおいしい!!
担々麺がお気に入りで
食感を均一にしたい時は
トッピングのカリカリピーナッツを
抜いてオーダーしている
MAP

2つめは Dong《ドン》 Bei《ベイ》 Hu《フウ》
友人はここが好きすぎて
移転前を含め15年以上通っているらしい

ランチはいろんな料理を
ビュッフェで楽しめる！
店内もおしゃれで窓辺が好き
MAP

3つめはレストランの同僚たちの
激推しで知ったXiao《シャオ》 Mei《メイ》 Lin《リン》 Dumplings《ダンプリング》
二日酔いの時にも
最高のフードなのよッ!!
激推しはきゅうりのたたきと焼きうどん!
エビシュウマイや餃子（焼き&茹で）も美味…!

MAP

おいしくて馴染みのある料理は
「ここで生きていける」という安心感をくれる
生きていける…
わ!
おいしいね!
そしておいしいアジア料理を誰かに紹介できると
なんだか嬉しく誇らしい
三大中華料理店は
私の暮らしを支える大切な存在になっている

大きいシナモンロールが食べたいならここ

とにかく絶対大きくておいしい
シナモンロールが食べたい時は
Café《カフェ》 Succès《サクセス》 に行けば間違いない
café・bakery SUCCES
ここのシナモンロールが1番好きなんだ
1957年創業の老舗カフェで
自慢のコルヴァプースティ（シナモンロール）は
パンマニアの友人の一推しだ

ここのシナモンロールは…とにかく大きい！
いつ行っても大きい…そしておいしい!!
はむんっ
はむっ
シナモンと
カルダモンの
ハーモニー
幸せだ…
たくさん頬張っても
食べ終わらない大きな幸せだ

MAP

朝日が差し込む窓辺の特等席でブランチ

早起きできた平日の朝 出勤前に
ヘルシンキ最古のオールドマーケットホール
Vahna《ヴァンハ》 Kauppahalli《カウッパハッリ》にある
STORY《ストーリー》でブランチするのが好きだ
キレイな朝日…
海側のテーブル席は朝日が差し込む
とても美しい特等席
朝早くに来る人はまばらで
マーケット内はとても静か

平日8時から10時半の間だけ注文できる
ブランチセットをゆっくり楽しむのが至福の時
時々こうして とっておきの朝を
過ごすことも大切なルーティンだ

MAP

フィンランドの国民的チーズはかわいい

フィンランドの国民的チーズの1つ
Rae《ラエ》 juusto《ユースト》 は
カッテージチーズに似たフレッシュチーズ
大手食品メーカー
Valioのが人気
脂肪分が少なくてタンパク質が多く
サラダに加えたり
オリーブオイルと黒こしょうをかけて
食べたりする

そして特徴的なのがぷりぷりと丸いその形！
それ以来ずっと
ムーミンのかわいいうんちに見えている
Moomin poop!
(ムーミンのうんち)
フィンランド人

このラエユーストは
ベリーのスープに添えるのもおすすめ
ということで早速作ってみた
もちもちで
ほんのりミルク感が
あっておいしい!!

わかった!!
これはあれだ…!!
もちん
北欧版ぜんざいだ!!
もちもち+温かくて甘いものは
世界共通でおいしい

チョコアイスバーは幸せを保証してくれる

移住後 おかしくなるほど
ハマっている私史上最高の
アイスバーがある
Classic《クラシック》のチョコレートアイスバーだ
神アイスッ

アイスマニアのフィンランド人の友人が
「新たにハマったアイス」として
紹介してくれたのがきっかけで…
チカ…
これ…マジで
ヤバいからッ!!
こっ…
これはッ…
おいしすぎるッ!!
それ以来 Classic のアイスバーは
新しい味が出るたびにすべて試している
フォレストベリーやサルミアッキなど
北欧らしいフレーバーがあるのも魅力の1つだ

中でも私が一生愛す！ と決めたのが
このクリームトフィーフレーバー…
パリパリのミルクチョコレートと
トフィーのチョコレートレイヤーの中には
とろりとしたキャラメルソースが覗く……！
バニラアイスクリームは濃厚で
なめらかさを極めた舌ざわり……！
LÖYDÄ SEIKKAILUSI
Classic
KERMATOFFEE
KARAMELLIKASTIKE SUONENJOELTA
すべてが…完璧…！

冷凍庫にないと耐えられない…
そんな衝動で箱買いにも手を出した
幸せだぁ…
箱…
保証された幸せが冷凍庫にある
それだけで常に頭の隅っこが幸せになる
Classic のアイスバーは
いまや生活に欠かせない〝幸せ必需品〟だ

長く暗い北欧の夜に欠かせないつまみがある

フィンランド国内外の友人に
心配されるほどハマっているもの…
それがRAINBOW《レインボー》の塩ポップコーンだ
POP Corn
SUOLATTU · SALTADE
SALTY & CRISPY SNACK
袋詰めなのに
映画館並みの
食感とバター感ッ
ちなみにRAINBOWは
スーパーのプライベートブランドで
日本でいうトップバリュ的なもの
S-market《エス マーケット》やalepa《アレパ》やPrisma《プリズマ》で購入できる

最近辿り着いた最高の食べ方は
ボウルに移し替えて30秒レンジで温め
出来立てを演出しつつ…
日本から持ってきた
茅乃舎のだしを振りかけて
フリフリすること…!
…
もく もく
チップスよりヘルシーで
1粒1粒が小さいから
間が持つ…
許容範囲内の罪悪感で楽しめる晩酌のお供ができると
長く暗い夜だって余裕で乗り越えられる
このポップコーンは北欧の極夜の相棒だ

職場のレストランに常備されているアイスがおいしい

働いているお寿司屋さんで
スタッフ向けに常備されているのが
このクッキーサンドアイス
PUFFET
vanilja
PUFFET
うまぁ…!
チョコレートのクッキーで
バニラアイスクリームをサンド!

フィンランド人のシェフたちも大好物で
特にミントアイスの人気が高かった
ブルーはバニラ味
グリーンはミント味
ミントが
1番おいしい!!
わかる!!
ミントよね!
PUFFET
minttu
小腹が空いた時にも嬉しい
フィンランドの国民的アイスだ

チーズの天国で絶品チーズサンドを食べる

ROLLING《ローリング》 CHEESE《チーズ》は
グルメなバーテンダーの同僚に
教わった最高のチーズ屋さんだ
ヘルシンキの…
チーズの天国ッ

店内には6席のテーブルがあり
チーズやワインをその場で楽しめる
ワインに合わせて
おすすめのチーズを
盛り合せました
フィンランドのチーズは
ルバーブのジャムと
食べてみてください
最高です…!!
MAP

さらに欠かせないのは…
グリルチーズサンド！
私のお気に入りはブルーチーズに
フィンランドのはちみつ入りサンドだ
うま…
サクッ

ノンアルコールのアップルサイダーもあり
ランチにサンドだけ食べに行くこともある
1人で行っても誰かと行っても楽しい
小さなチーズ屋さんだ
JUUSTOKAUPPA
また行こう…

老舗レストランで特別なディナータイム

グルメなシェフが「絶対おすすめ」と教えてくれた
老舗レストラン Savoy《サヴォイ》
ヘルシンキで次に
ミシュランの星に
近い店だと思う！
ドレスコードがある…
カジュアルドレス…！
週末は人気で埋まりやすいので
ネットで予約して向かう

アルヴァ・アアルト夫妻が店内デザインを手がけ
家具もすべて Artek《アルテック》 製品だ
インテリアも
テラスからの眺めも
ステキ！

MAP

季節ごとに変わるコース料理は
フランス料理とフィンランド料理が
融合されていて 盛り付けも美しく繊細だ
ハーブやはちみつは
レストランの屋上で
育てているんですよ

ピアノの生演奏に包まれて過ごす
特別な夜
時間が止まった
みたいだった…
86年の歴史を持つこのレストラン…
これから先もまた特別な日に訪れながら
思い出を作れたらいいなと思った

この日だけ食べられる特別なシナモンロールがある

10月4日はシナモンロールの日！
この日はシナモンロールの消費量が
1年で最も多くなるそうだ
IHANA KAHVIEA BAARI
HAPPY KORVAPUUSTI DAY!
Tervetuloa!
なんて
ハッピーな
日なんだ!!

この日はいろんなお店が
自慢のシナモンロールを推しているけれど
私の一推しは…
焼き
シナモンロールと
コーヒーを
ください
Fazer
Fazer《ファッツェル》 café《カフェ》 本店の焼きシナモンロール！
この日限定のスペシャルシナモンロールだ
KAHVI/TEE
3,50
PILLIMEHU
2,10
HERKULLISTA
KORVAPUUSTIPÄ

MAP

お店の前の特設ブースで
売られているシナモンロールを
店員さんがその場で焼き上げてくれる
じゅわわ〜…
ワッフルメーカーでプレスしている
わあぁ…
ミルクとバターのよい香りが立ち込めて
既に幸せな気分…

せっかくなのでヘルシンキ大聖堂で食べようと
冷めないように駆け足で向かって階段に座ったら
焼きシナモンロールを思いっきり頬張る！
ワッフルの型もかわいすぎるッ
お…
おいしすぎる…！
バター香るカリカリの表面にほくほくの生地！
思わず胸がいっぱいになる最高のおいしさは
この日だけの特別な味だ

Column 1

再び！ フィンランドのシナモンロールを作る

愛してやまない、フィンランドのシナモンロールのレシピ。
前作では漫画で紹介しましたが、今回は写真入りで説明します。

材料（8〜9個分）

●生地
強力粉…250g
薄力粉…50g
塩…小さじ1
バター…30g
卵…1/2個
牛乳…180ml
A 砂糖…35g
　カルダモン…小さじ1
　ドライイースト…5g

●フィリング
バター…適量
シナモンシュガー…適量

●飾り付け・ツヤ出し
ワッフルシュガー…適量
卵黄…1/2個

日本のスーパーで手に入れにくいワッフルシュガーは、角砂糖を砕いたり、代わりにアーモンドダイスを振りかけてみたりと、身近な材料で代用してみても意外と何とかなるものだ。

作り方

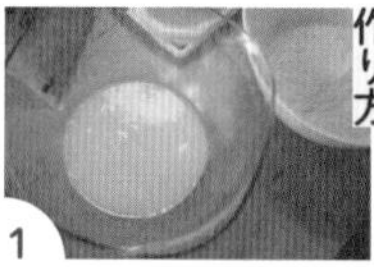
1 生地を作る。フライパンにバターを入れて焦がさないように火にかけ、溶けたら牛乳を加える。人肌くらいに温めたらボウルに移す。

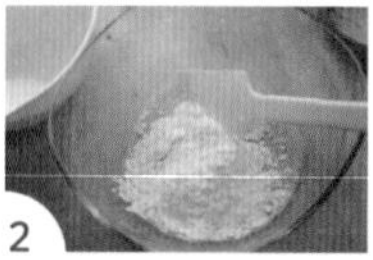
2 ボウルにAを加えて混ぜ、強力粉、薄力粉、塩、卵をダマにならないように少しずつ加える。カルダモンの香りにワクワクする。

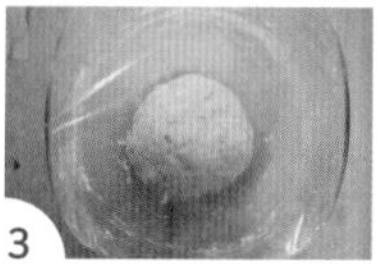
3 よく混ぜて1つにまとめ、ラップをして30分寝かせて発酵させる。

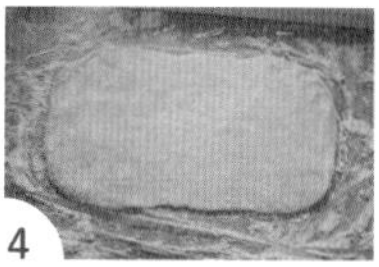
4 30分経過したらまな板に打ち粉をし、生地を長方形に伸ばす。

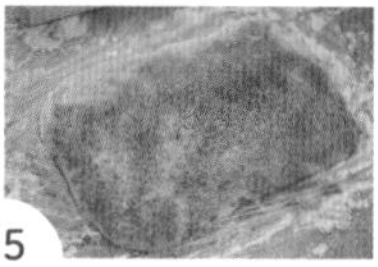
5 表面にフィリング用のバターを薄く塗り、シナモンシュガーをたっぷりかける。

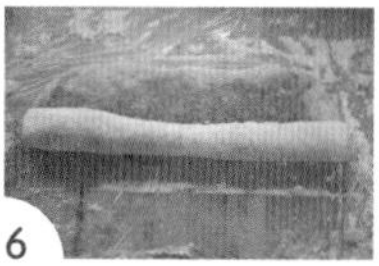
6 生地をくるくる巻き、両端をつまんで閉じて棒状にする。

7 生地を1つ1つ台形になるように切っていく。

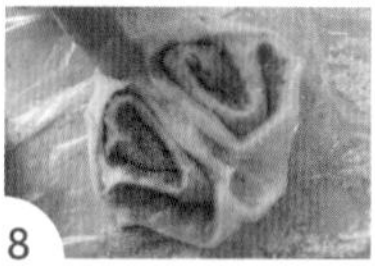
8 台形に切った生地を立て、頂点を両手の親指でグッと左右に押し付ける！

9 卵黄を塗り、ワッフルシュガーを振る。

10 200℃に予熱したオーブンで10〜15分焼けば、出来上がり！！

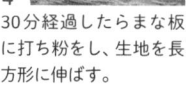

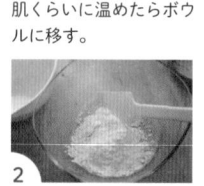

自宅で焼きシナモンロールを作る

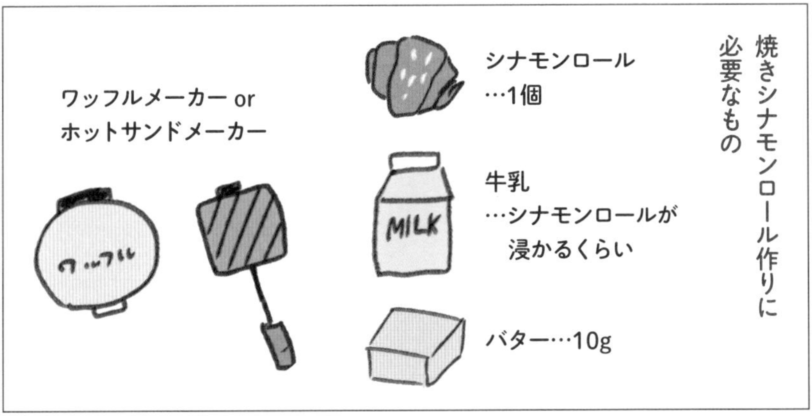
焼きシナモンロール作りに
必要なもの
シナモンロール
…1個
牛乳
…シナモンロールが
浸かるくらい
MILK
バター…10g
ワッフルメーカー or
ホットサンドメーカー
ワッフル

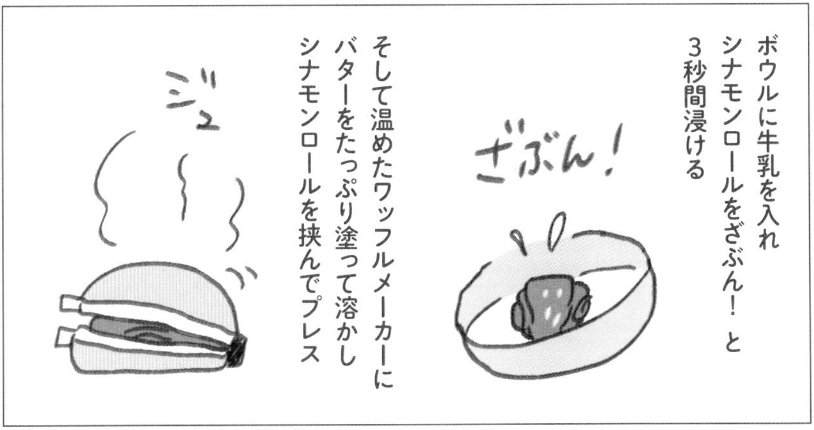
ボウルに牛乳を入れ
シナモンロールをざぶん！ と
3秒間浸ける
ざぶん！
そして温めたワッフルメーカーに
バターをたっぷり塗って溶かし
シナモンロールを挟んでプレス
ジュ

シナモンロールにこんがり
焼き目がついたら完成！
ザクッ
んま…!!
温かいうちに
おいしく食べるのが最高

我が家の常備品

ギリシャヨーグルト
朝ごはんの定番はギリシャヨーグルト＋はちみつ＋ベリー。小腹が空いた時にもはちみつヨーグルトを食べる。

ベリーフレーバーの炭酸水
ラズベリーフレーバーの炭酸水は、気分をリフレッシュしたい時によく飲む。カロリーゼロのフレーバー炭酸水は、ヘルシーに楽しめるので嬉しい。

レイパユースト
モキュモキュ食感がたまらないレイパユーストは、サラダに入れたりそのまま食べたり。冷蔵庫にあると頼もしいお供になっている。

フィンランドのはちみつ
フィンランド人の友人が「絶対にフィンランド産じゃなきゃダメなんだ……濃さが違う！」と力説していたのをきっかけに、私も必ずフィンランド産を選ぶようにしている。

冷凍ベリー
フィンランドの人たちは、夏に森で摘んだベリーを冷凍して1年中楽しむ。私はスーパーで冷凍イチゴを購入して常備し、朝にレンジでチンしてヨーグルトのお供にしている。

トマト缶
何も作る気が起きない時でも、15分で作れるトマトパスタは日本にいる時から私の救世主。フィンランド移住後も、常にキッチンにはトマト缶を常備している。

クラウドベリージャム
ラップランドで採れる黄色いベリーで作った甘酸っぱいジャムは、レイパユーストと一緒に食べる。

Part 2

飲む

ビール大好きな私
実は最近ひょんなことから
1か月断酒した
もう1年も
飲んでないー
妹
えっ!?
私も1か月
やってみようかな
あっという間に1か月が経ち
ノンアルコールの
バラエティにも詳しくなった
ビールは
ラピンクルタの
ノンアルが
飲みやすい…
LAPIN KULTA
断酒していても
ノンアルビールは
飲みたいんだね?
!?
改めて気づいたのは
私は缶ビールを
〝カシュ〟と開ける
瞬間がとても
好きだということだ
カプ…
カシュ!
それはまるで
〝新しい時間の始まり〟
の音だと思う

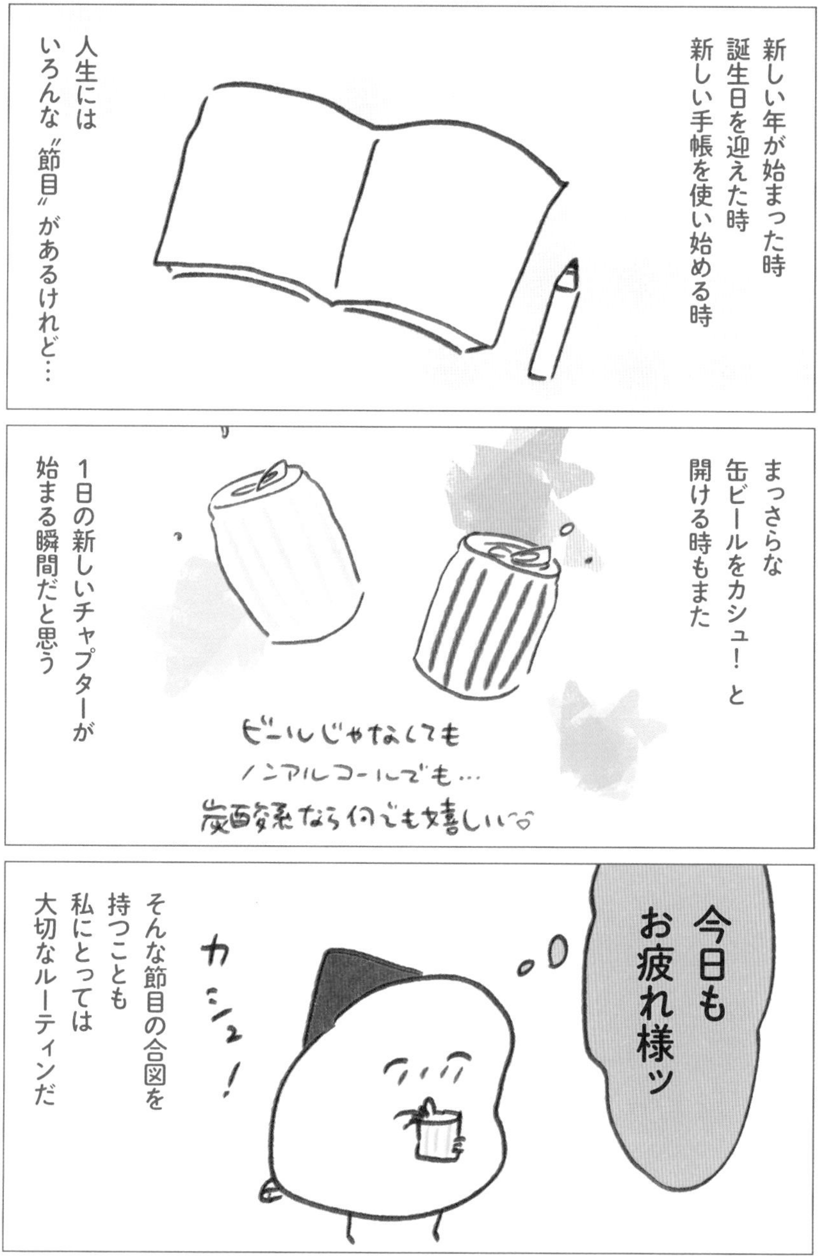
新しい年が始まった時
誕生日を迎えた時
新しい手帳を使い始める時
人生には
いろんな〝節目〟があるけれど…
まっさらな
缶ビールをカシュ！と
開ける時もまた
1日の新しいチャプターが
始まる瞬間だと思う
ビールじゃなくても
ノンアルコールでも…
炭酸系なら何でも嬉しい♡
今日も
お疲れ様ッ
カシュ！
そんな節目の合図を
持つことも
私にとっては
大切なルーティンだ

野外飲みにぴったりなビールで乾杯する

フィンランドに移住してから
ドハマりしているビールがある…
太ったトカゲがトレードマークの
FAT《ファット》 LIZARD《リザード》 ビールだ
全種類買った…

このビールはヘルシンキの隣町
エスポーで醸造されており
よくメタルバンドとコラボしている
最近はヘルシンキのスーパーにも
ずらりといろんな種類が並ぶ
迷う…！

中でも推しポイントなのが
この缶…!!
パカッと開いて飲みやすい!
なんか気分が上がるッ…!
ピクニックなどの野外飲みでも
ちょっぴり気分が上がるビールだ

ちなみに最初はイラストだけ見て
完全に〝ワニビール〟だと思っていた
最高ですよね このワニビール…
…トカゲだよ
がっつりリザードって書いてるよ
字を読んで…
そんな私が1番好きな種類は
バランス最高のSESSION IPA《セッションアイピーエー》だ

フィンランド中のクラフトビールが楽しめるバーに行く

ヘルシンキ中央駅からすぐの通りにカラフルでかわいいビールの店がある
PIEN
ぴえん…？
フィンランド中のユニークなクラフトビールを扱うPIEN《ピエン》だ

ショーケースにずらりと並んだ色とりどりの個性的な缶ビール…
アートだ…!!
見ているだけでワクワクしてしまうッ！

MAP

さらに店内にはバーもあり
店で扱っている缶ビールはもちろん
生ビールも楽しむことができる…!!
フィンランド版の
おしゃれ角打ちだ…!!

ちなみにもう1つステキなのが…
1人で静かにパソコンを
使っている人も多いね!
カタタ..
本当だ…!
私も今度持って
来てみようかな…
ビール屋さんの一角にあるバーは
働く大人たちの隠れ家スポットでもあった

駅真隣のビアバーで深夜1人酒を飲む

働いているお寿司屋さんからの帰り道…
あぁ…
なんだか今日は
このまま帰りたくないな…
そんな気持ちになる夜がある

けれど時刻は既に深夜0時過ぎ
開いているバーはまばらで
騒がしい場所にも行きたくない
Bierhaus
カラララ…
そんな私の〝深夜の避難所〟が
ここヘルシンキ中央駅の真隣にある
ビアバー Bierhaus《ブラウハウス》 München《ミュンヘン》 だ

MAP

平日深夜…広い店内にいるのは
電車を待つ1人客と
静かに会話を交わす2人組だけ
今日も
いつもの
店員さんだ
カウンターに並ぶビールは
訪れるたびに種類が変わるので
とりあえずALE《エール》と書いてあるものを注文する

うまっ…
ふぅ…
なんだかやっと
力が抜けてきた…
家に帰る前
1人静かに肩の力を抜ける場所がある
そんな場所があるから明日も大丈夫だと思えるのだ

無性にステーキが食べたくなると訪れる店がある

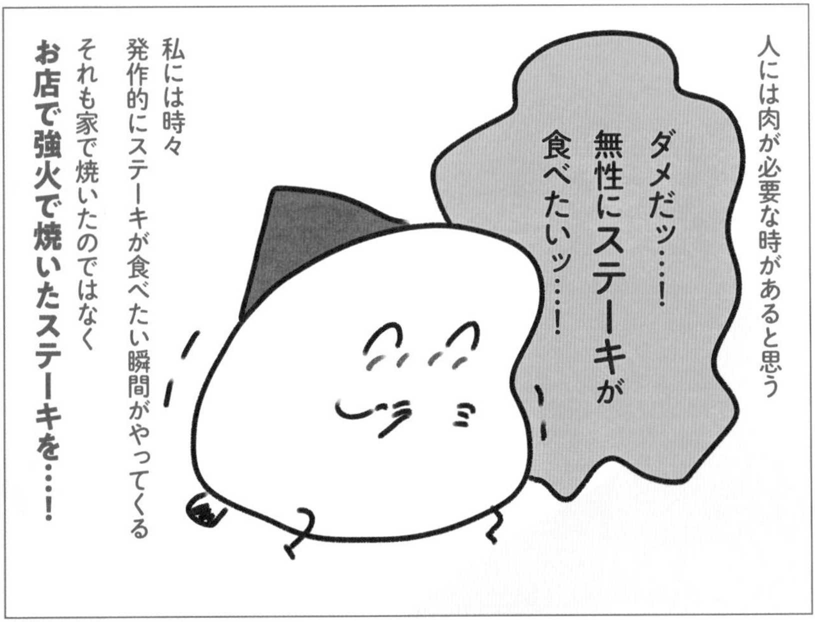
人には肉が必要な時があると思う
ダメだッ……！
無性にステーキが
食べたいッ……！
私には時々
発作的にステーキが食べたい瞬間がやってくる
それも家で焼いたのではなく
お店で強火で焼いたステーキを……！

そんな願いを叶えてくれる店に
ようやく出会うことができた
Woolshed《ウールシェド》 Helsinki《ヘルシンキ》
ヘルシンキ中央駅の真隣にある
オーストラリア風のバーだ
Main Meals
Thursdays
Steak or Burger
Monday-Wednesday
Jägermeister

MAP

ここは週末の夜でない限り
1人でも入りやすい貴重なお店
カウンターでステーキとビールを注文し…
ぐびび…
お気に入りの窓辺の席に座り
行き来する電車を見ながら
ビールを飲んでステーキを待つ

やってくるのは
季節の野菜が添えられた
ペッパーソースのステーキ
うぅ…
これこれ!!
お店で食べるステーキにしか
満たせない気持ちがある
このバーは私のミートパワースポットだ

白樺の木の下で白樺ビールを飲む

夏になると絶対に飲みたくなるビールがある

カルフビールから夏限定で発売される
白樺エキス入りの白樺ビールだ

黄金に輝くラベルにはKOIVU《コイヴ》（白樺）の文字

この時期にしか飲めない
フィンランドならではの夏ビールだ

この黄金の白樺ビールが似合うのは
やっぱり白樺の木の下だと思う
至福だ〜〜〜〜〜〜〜
風に吹かれてサラサラと音を鳴らす
夏の白樺を感じながら
少し苦みのあるビールを楽しむ

ちなみに売っているお店は限定的だが
駅前の K《コー》-Supermarket《スーパーマーケット》 には
並んでいることが多い！
あった！
ふふふ…
夏のピクニックのお供にも
ちょっとしたお土産にも嬉しい
特別なビールなのだ

MAP

飲み比べできるGINセットは最高の手土産だ

最近フィンランドの空港で手に入る
個人的にベストなお酒のお土産…
KYRÖ《キュロ》のGINテイスティングセット！
KYRÖ GIN TASTING SET
3 × FINNISH SMALL BATCH RYE GINS
Kyr_ Tasting 43.6%
20cl
you pay € 17,50
Flying outside the EU
you pay € 19,90
Flying Inside the EU
EU 99.50 / l
Non-EU 87.50 / l

小さな瓶に定番のジンからウイスキーまで
4種類が詰まっている
ノーマルのジン
樽熟成の
ダークジン
小さくて…
かわいい…
100%ライ麦
フィンランドウイスキー
イチゴやルバーブの
ピンクジン

この瓶を持って北欧好きな日本人の
友人たちとの飲み会に行ったら大盛り上がり
ひぃーーーー！
ずっと飲みたかったやつ！
試したかったけど
1人で1本丸々買うのは
迷ってたんですよね
私も！ このピンクの
めっちゃ気になってたけど
まず味見してみたかったー

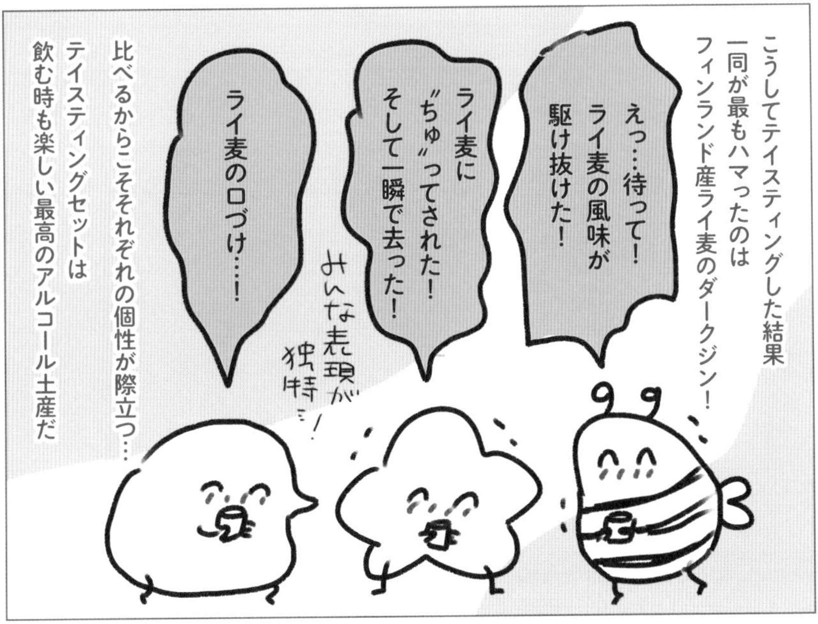
こうしてテイスティングした結果
一同が最もハマったのは
フィンランド産ライ麦のダークジン！
えっ…待って！
ライ麦の風味が
駆け抜けた！
ライ麦に
〝ちゅ〟ってされた！
そして一瞬で去った！
みんな表現が
独特…！
ライ麦の口づけ…！
比べるからこそそれぞれの個性が際立つ…
テイスティングセットは
飲む時も楽しい最高のアルコール土産だ

フィンランドのボウリング場で青春を感じる瞬間がある

ある日フィンランド人の友人から
ボウリングに誘われた
そしてやってきたのがこちら…
FUN《ファン》 BOWLING《ボウリング》 & CAFÉ《カフェ》
日本同様ボウリングシューズの
貸出もあるので手ぶらでOKだ
FUN
BOWLING & CAFE

バーには生ビールやロンケロの瓶
ちょっとしたスナックやチョコも揃う
ボウリング柄の
カウンターが
かわいいッ

MAP

ボウリングを楽しみながら
友人とビールでほろ酔い
次負けたらビール
おごりね!
OK!!
そういえばお酒を飲めるようになってから
ボウリングに来たのはいつぶりだろう

次チカだよ!
はぁい!
なんか…
久しぶりの
青春って感じだ!
フィンランドのボウリング場には
どこか懐かしい青春の時間が流れていた

ビールを堪能できる大人のビアバーがある

ヘルシンキの街角にある
ビールバーBier《ビア》-Bier《ビア》は
古い銀行を改装して作られた
雰囲気抜群の大人ビアバー
おしゃだ…
店舗の一部は
フィンランド文化遺産庁によって保護されている

このバーの楽しみといえば…
壁いっぱいに並ぶクラフトビールと
日替わりの生ビールたち！
わあああッ
STAFF PICKS
HANASKI DRAUGHT

MAP

迷ってしまうのでここでの注文は一択…
「5種のビール飲み比べセット」！
いろんな種類を
おすすめで
お願いします
バーテンダーさんに
定番のラガービールから
人気のサワービールにダークビールまで
まんべんなくチョイスしてもらう

あっさり系から飲み始めて
ダークビールでフィニッシュ…
私これが
1番好きかも！
おいしいッ！
わっ
「愛好家には挑戦を　初心者には経験を」
そんな信念でセレクトされる5種は
まるでビールのフルコースだ

フィンランドでは貴重な洋風居酒屋が好きだ

ヘルシンキの街角に愛してやまない
ステキなワインバーがある
築110年の薬局を改装して作られた
ワインバー Apotek《アポテック》 だ
APOTEK

Apotek とはスウェーデン語で薬局のこと
店内にはガラス瓶や薬箱など
歴史を感じる品々が所狭しと並んでいる
ステキ…

MAP

そしてステキなのは内装だけでなく…
お酒に合うおしゃれな小皿料理が充実していること！
盛り付けもおしゃれ…！
しかも１皿 5～15€！
大皿じゃないからいろんな種類が食べられて嬉しい！

そして稀にかっこいいおじさまシェフがテーブルまで直々に料理を持ってきてくれることもある…
ワインバーだけどビールもおいしい
小料理とお酒が楽しめるヘルシンキでは珍しい洋風居酒屋的お店だ
モイ
ワァ～ッ！

自分だけの〝秘密のバー〟にしたくなる店がある

雰囲気抜群のカクテルバーといえば
ヘルシンキ中央駅からすぐのBardem《バルデム》が好きだ
BARDEM
80年代のニュアンスと現代らしさが
混ざり合った〝秘密のバー〟がコンセプト

同僚のシェフが
連れて来てくれたのが始まりで…
ずっと前から
店の前を通るたびに
気になってたんだ
大正解の予感ッ…！
ドライフラワーがちりばめられた店内と
ステキなバーカウンターに心ときめく…！

MAP

カクテルメニューも個性的で　日本酒や玄米
唐辛子やレッドオニオン入りのカクテルも
私　魔女好きだから
魔女のカクテル！
どれも面白そうで迷う〜ッ
私は
この梅酒ベースに
してみようかなぁ〜〜！

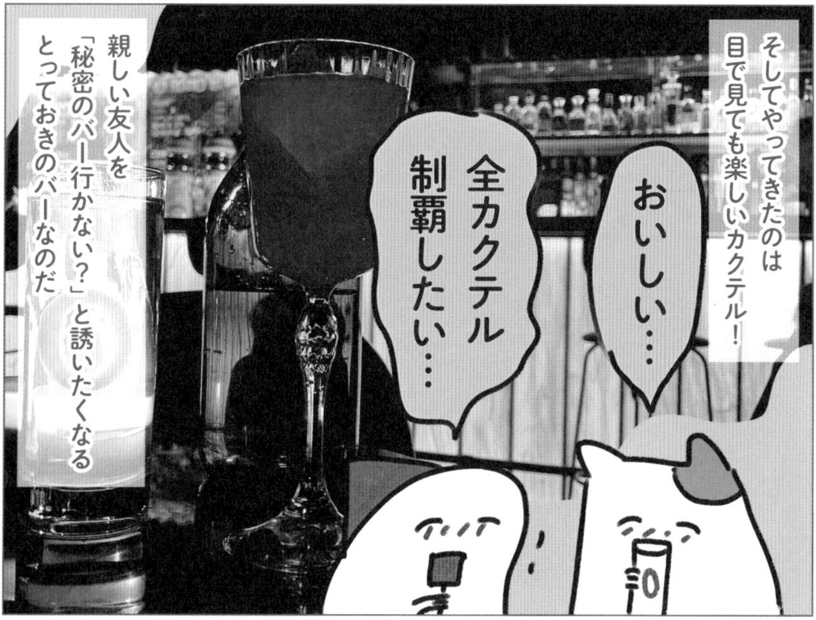
そしてやってきたのは
目で見ても楽しいカクテル！
おいしい…
全カクテル
制覇したい…
親しい友人を
「秘密のバー行かない？」と誘いたくなる
とっておきのバーなのだ

ヘルシンキの街並みを眺めながら酒が飲めるトラムがある

旅行でフィンランドに来ていた時から
ずっと憧れていた存在がある…
ついに…
この日がッ!!
それが5～9月の間に運行している
この赤い車両のパブトラムだ!
PUB Ravintola Restaurang
KOFF

名前の通り
なんとお酒を飲みながら乗れるトラムで
車内にはバーカウンターがあり…
わぁぁ～～
ビールにロンケロ さらには
サルミアッキウォッカまで注文できる
KOFF

MAP

車内には2人席から
グループ向けのテーブル席まで用意されていて
カップホルダーも完備
まさに飲むための車両！
非日常な空間にテンションも上がる
たッ…
楽しすぎるッ

トラムは1時間かけて
ヘルシンキの街中をぐるりと周る
わッ
大聖堂！
サルミアッキウオッカも
もちろん注文した
ヘルシンキの街並みを眺めながら飲む
フィンランドビールの味は格別なのだ

仕事終わりのシェフが集まるバーがある

ヘルシンキのレストランは
日曜休みのお店が多く
土曜日はシェフたちにとって
〝仕事納めの日〟だ
今日
飲みに行く？
いいね！
そんな日は決まって
誰からともなく飲み会の号令がかかる

忙しい週末の仕事が終わった深夜0時過ぎ…
いろんなレストランのシェフが
次々とやってくるバーがある
Pub《パブ》 Ludvig《ルドヴィク》
半地下にありながら
席数が多く
土曜は深夜過ぎでも
営業している
シェフ御用達のバーだ
LUDVIG
LUDVIG

MAP

バーカウンターでビールを注文していると
知らないシェフが仲間に
話しかけてくることもよくある
君はあのレストランの
新しい寿司シェフかい？
前の職場の
同僚なんだ！
バーテンダーさんもお客さんも
このエリアのレストランを熟知していて
お店全体が大きなファミリーのようだ

営業終わりの深夜
こうして同じ業界の仲間たちが
集まって疲れを癒やす憩いの時間…
みなさん
お疲れ様です！
なんだか嬉しく
全員と乾杯したくなる
温かい熱気に包まれた時間だ

なんの変哲もない行きつけのバーがある

街ゆく人を眺めながら飲めて
1人でも入りやすいバーとして
結局1番ヘビロテしているのがこのバー
HEMINGWAY'S
HEMINGWAY'S
Tales, Ales & Cocktails
映画館の隣に併設された
Hemingway's《ヘミングウェイ》だ

ここはチェーン店で
なんの変哲もない本当にカジュアルなバー
カウンターでビールを注文してお金を払う
FAT《ファット》 LIZARD《リザード》のエールお願いしますッ
大好きなトカゲビールを
常時生で飲めるのも嬉しいポイント

MAP

友人と飲めるテーブル席もあれば
カウンタースペースも比較的大きくて
1人で飲んでいる人も多い
そろそろ
スノーシューズを
買わなければ…！
お気に入りは窓辺の席
街ゆく人のファッションを見ながら
次に揃えるべき装備を
考えるのにもぴったりなのだ

おしゃれなお店もいいけれど
こんな何気ない場所があるのもとても心強い
時々
パソコンを
持ち込むことも
パッと寄ってパッと飲める
第二のリビング的バーなのだ

こぢんまりとしたバーでひっそりと飲む

幅が狭いッ！

ヘルシンキの繁華街にある いつも気になっていた 小さなガラス張りのバー Wall St. Bar（ウォールストリートバー）

ここはかつてヘルシンキで 最も小さなバーだったが 最近改装されて少し広くなった

外にはあんなに 人がいるのに このバーには 人が少ない…

ちまっ

深夜2時まで街ゆくほろ酔いの人たちを 眺めながらゆっくり飲める なんだか街中の時間を止めたような 気分になるバーだ

中心地にありながらビールの価格も控えめで 改装したとはいえ小さな店内は こぢんまりとしていてなんだか落ち着く

MAP

Go to the bar that was originally the smallest in Helsinki

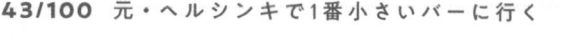

飲み終えても愛でたいお気に入りのロンケロがある

フィンランドの国民的カクテル ロンケロといえば
水色ストライプの缶が定番だけど
最近ハマりにハマっているのがこちら!!
うま…!
HELSINKI LONG DRINK
Gin & Pink Grapefruit
LOW SUGAR
5,5 Alc. Vol%
HELSINKI《ヘルシンキ》 DRY《ドライ》 GIN《ジン》 のロンケロ!
ピンクグレープフルーツテイストで
味が濃くておいしすぎる…!

缶と瓶があり デザインもかわいい
瓶は捨てずに花瓶にして
最後まで愛でる
お店で見つけると嬉しくなる
ネクストレベルのロンケロだ
HELSINKI LONG DRINK
Gin & Pink Grapefruit

ノンアルのロンケロで乾杯

1か月の断酒をしていた時
初めてノンアルのロンケロを飲んだのだが…
味もほとんど
変わらないし
おいしいッ!!
0% ALCOHOL
HARTWALL
ORIGINAL
Long drink
GRAPEFRUIT
0%
とてもおいしかった!!

アルコールが飲めない友人とも
サウナの後に一緒に飲んで楽しんだ
ずっと飲んで
みたかったので
嬉しい…
ぷは〜
やっぱりサウナの後は
このロンケロですね
ノンアルのロンケロも
最高のサウナドリンクだ

日替わりビールでクリスマスまでのカウントダウン

11月に入るとフィンランドでは
チョコレート 紅茶 化粧品 ペットフードまで
様々なアドベントカレンダーが店頭に並ぶ
中でも私がずっと憧れていたのは…
クラフトビールのアドベントカレンダー!!
PIEN

12月1日から毎日異なるビールを楽しみながら
クリスマスまでカウントダウン
今日はダークビール!
イッタラグラス
暗く長い冬を楽しみに変える
12月の夜の大人ルーティンだ

Column 2

世界一のジントニックレシピ

私が家に常備している
KYRÖ《キュロ》のジン
KY
FINNISH RYE GIN WITH A HEART OF WILD NATURE AND NAKED AMBITION
KYRÖ GIN
46.3 500ml
RÖ
世界一のジントニックにも
選ばれた
フィンランドの
クラフトジンだ
KYRÖ はフィンランドの若者が
サウナで飲んでいた
ウイスキーに着想を得て創業
フィンランドって
ライ麦で
有名なのに
なんでウイスキー
作ってないんだろう
確かに！
作ろうぜ！
ウイスキーを熟成させている間に
ジンも作り始めたそうだ
このジン…もうフレーバーが
普通のジンと全く違う…!!
白樺の葉
メドウスイート
シーバックソーン
クランベリー
など16種類のハーブや果物
白樺が入っているのが
フィンランドらしさ全開…！

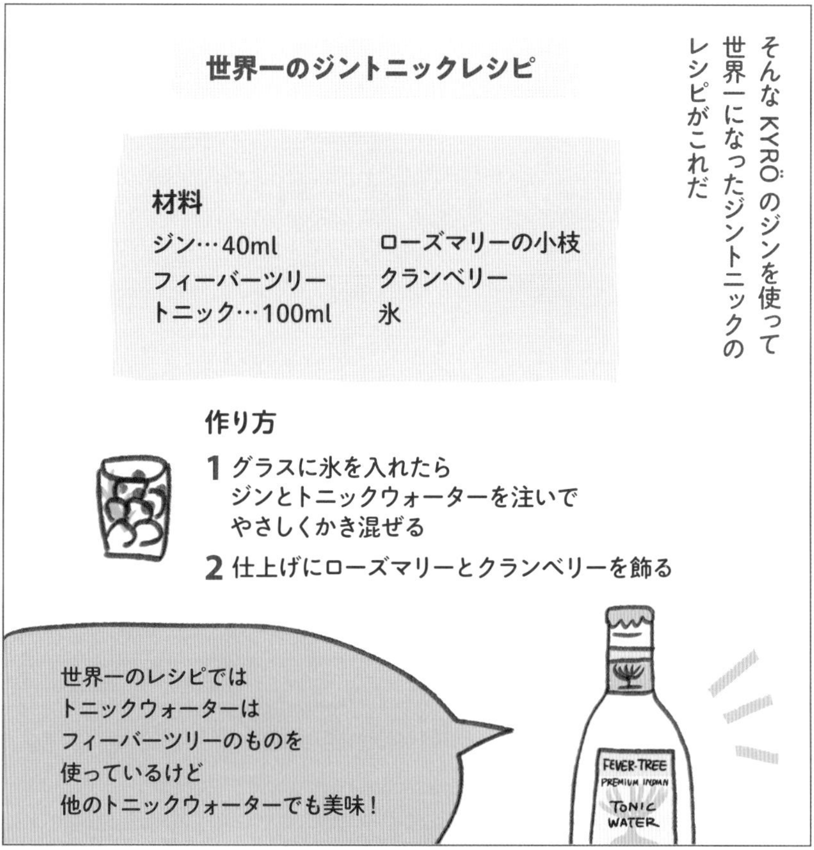
そんなKYRÖのジンを使って
世界一になったジントニックの
レシピがこれだ
世界一のジントニックレシピ
材料
ジン…40ml
フィーバーツリー
トニック…100ml
ローズマリーの小枝
クランベリー
氷
作り方
1 グラスに氷を入れたら
ジンとトニックウォーターを注いで
やさしくかき混ぜる
2 仕上げにローズマリーとクランベリーを飾る
世界一のレシピでは
トニックウォーターは
フィーバーツリーのものを
使っているけど
他のトニックウォーターでも美味！
FEVER-TREE
PREMIUM INDIAN
TONIC
WATER

ちなみに私はキッチンで
ローズマリーを育て
冷凍庫にクランベリーを
凍らせているので…
いつでも最高の
ジントニックが
楽しめる…
ほどほど
にね

フィンランドの定番おつまみ&〆フード

バーの定番おつまみ

フィンランドのバーにあるおつまみというと、乾き物がレジ横に置いてあるのみ……！ 日本に来たことのあるフィンランド人の友人は「日本の居酒屋が恋しいよ。食べながら飲めるバーがフィンランドには少ないからね」と嘆いていた。そんなバーの定番おつまみがこの3つ。スティックサラミ、ナッツ缶、ポテトチップス。私のお気に入りはスティックサラミで、ビールが進む最高のお供だ。

スティックサラミ

ナッツ缶

ポテトチップス

〆の定番フード

日本ではお酒を飲んだ後の〆といえばラーメンだけど、フィンランドの〆はTHE・ファストフード！ 夜になるとヘルシンキ中央駅の広場にはフードトラックが集まり、〆フードを求める酔っぱらいフィンランド人たちが列をなしている。中でも人気なのがケバブサンド、ハンバーガー、ホットドッグ、マッカラペルナット。私のお気に入りはマッカラペルナットで、輪切りにしたソーセージと濃いめに味付けされたじゃがいもを炒めた一品。飲んだ後に濃い味を求めるのは、世界共通のようだ。

ケバブサンド

ハンバーガー

深夜に備えて駅前の広場に集まるフードトラック

ホットドッグ

マッカラペルナット

Part 3

楽しむ

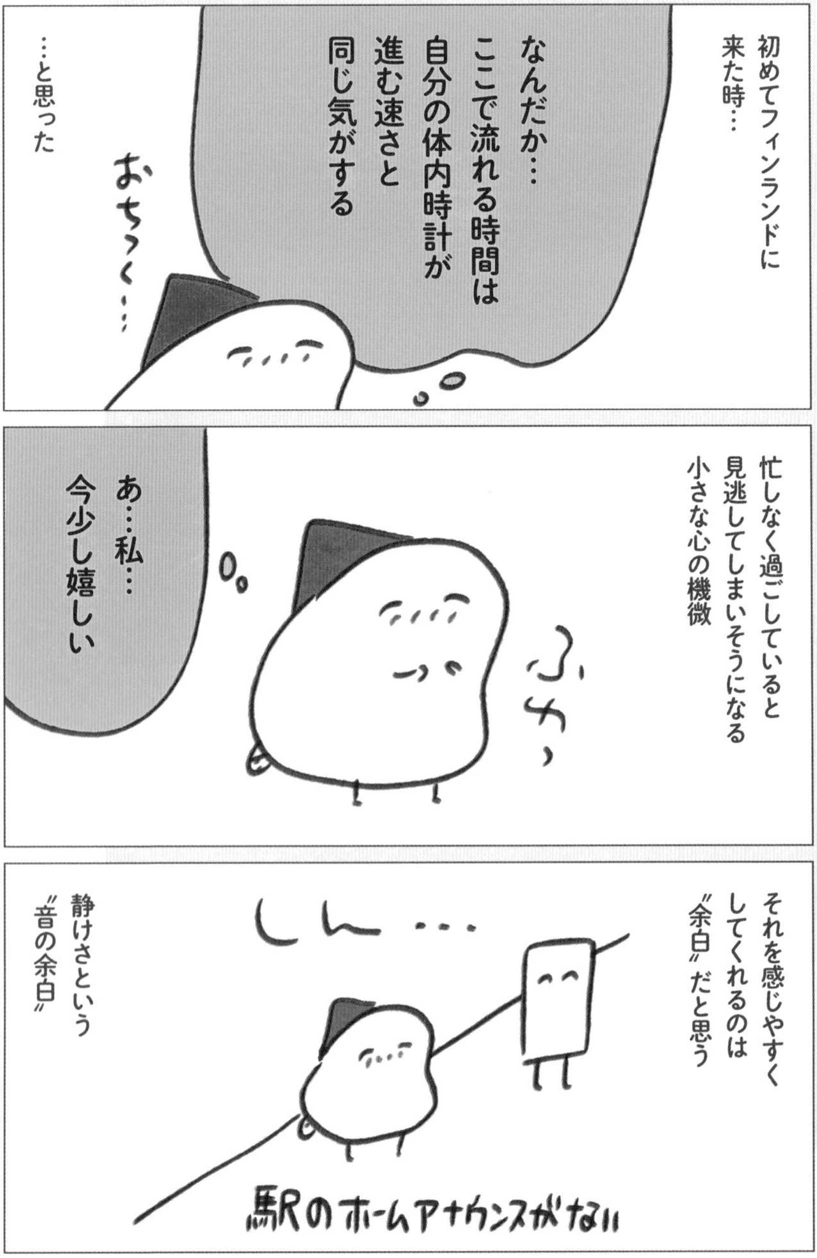
初めてフィンランドに
来た時…
なんだか…
ここで流れる時間は
自分の体内時計が
進む速さと
同じ気がする
おちつく…
…と思った
忙しなく過ごしていると
見逃してしまいそうになる
小さな心の機微
ふわっ
あ…私…
今少し嬉しい
それを感じやすく
してくれるのは
〝余白〟だと思う
しん…
静けさという
〝音の余白〟
駅のホームアナウンスがない

誰もいないという
〝空間の余白〟
何もしないという
〝時間の余白〟
ぽ――……
そんな余白が
心の余白になる
忙しない日々の中でも
心地よい余白を持つことを
大切にしたい

フィンランドにはいつでもオーロラを楽しめる場所がある

MAP

アイスランドの制作会社によって
作られたこのプログラムは
北極圏のオーロラを淡々と見せてくれる
わあ…
フィンランド語のナレーションも穏やかで
言葉少なめでよい
音楽も美しくて癒やされる…

夏だしプラネタリウムなんだけど…
なんだか
〝フィンランドでオーロラを見ている〟
という状況が嬉しい
Heureka はフィンランドで
いつでもオーロラが楽しめる
とっておきのミュージアムだ

Fazer のカフェには大好きなサービスがある

フィンランドの老舗お菓子メーカー
Fazer《ファッツェル》のカフェは
ヘルシンキの街の至る所にあるけれど…
ここ本店は少し特別だ
宇宙みのある
看板だ…
FAZER

本店には定番のチョコレートや
キャンディの量り売りがあり…
わ〜ッ!!
見ているだけで
ワクワクしちゃうッ…
Julia

MAP

ここでしか買えない
オリジナルグッズも購入できる
マッ…マリアンネの
ノート…!?
初めて見たッ…
CUTE!!
Fazer

そして全店舗共通で好きな
Fazer カフェのサービスが…
ドリンクを注文すると
チョコレートが付いてくる!!
そんな小さなおまけが嬉しい
フィンランドの大好きなカフェだ
ZER CAFÉ

フィンランドで春を感じるイベントに行く

ある日フィンランド人の友人に
チカ！ ヘルシンキで桜が見られるって知ってる？ お花見イベントがあるから一緒に行ってみようよ！
桜!?
と誘われた

向かったのはヘルシンキの東側にある公園
Roihuvuoren《ロイフヴオリ》 Kirsikkapuisto《キルシッカプイスト》
す…すごい!!
人も桜もいっぱいだ！
ここでは年に1度 2万人が訪れる盛大なお花見イベントが開催される

MAP

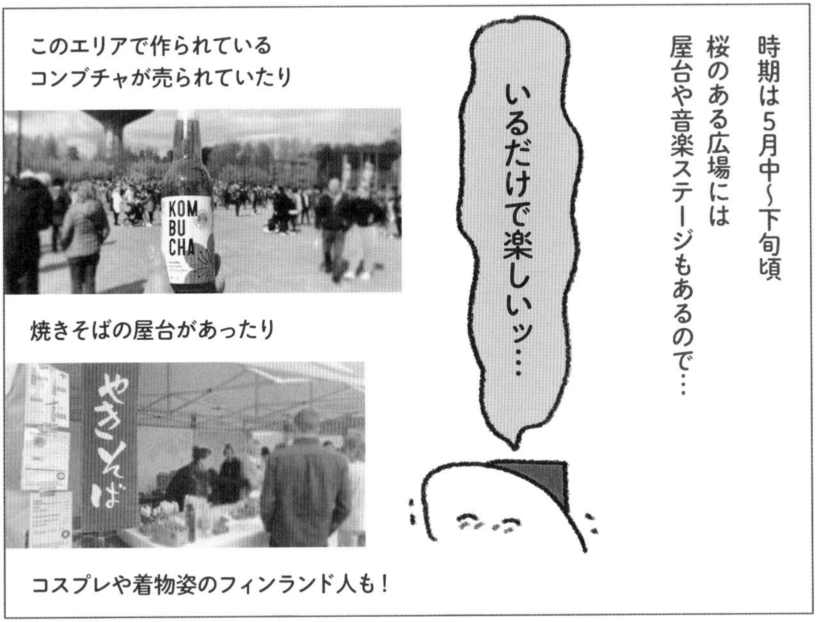
時期は5月中～下旬頃
桜のある広場には
屋台や音楽ステージもあるので…
いるだけで楽しいッ…
このエリアで作られている
コンブチャが売られていたり
KOM
BU
CHA
焼きそばの屋台があったり
やきそば
コスプレや着物姿のフィンランド人も！

遠く離れた北の国で
日本のようにお花見を楽しむ人々がいる…
平和だぁ…！
そんな光景が幸せで…
ここはヘルシンキで1番
〝春〟を感じられる場所だ
お酒は売っていないので！
おつまみと共に持ち込む！…

18時以降はカフェインレスコーヒーを楽しむ

私はコーヒーが大好きで
朝起きるとまず2杯分のコーヒーを淹れる
コポポ…
この時間も幸せ…
1日を始めるぞ！
という儀式のようになっている

1日中デスクに向かって
仕事をする日は
夕方になるとまたコーヒーが飲みたくなる
ムム…
でも今カフェインを
摂っちゃったら
夜眠れなくなるな…

そんな時に教えてもらったのが
スーパーで手に入る
このカフェインレスコーヒー
おいしくて飲みやすいッ
おすすめ
Kulta Katriina PLUS
RELAX
KOFEIINITON
Täyteläinen
100 % Arabica

それ以来18時以降のお供は
決まってこの子
よし…気分転換にコーヒー淹れよ！
コーヒーを淹れると気分転換できるので
時間を気にせず飲めるコーヒーが家にあると
とても心強いのだ

夏の夜は岩の上でピクニックをする

ある夏の日 ヘルシンキの港から
Suomenlinna《スオメンリンナ》島へやってきた
21時でも
明るいねぇ！
23時まで明るいフィンランドの夏は
21時からでもピクニックを始められるのだ

人の少ない…でも
海が見えるピクニックスポットを探しながら歩く
ここ
よさそう
じゃない？
いいね!!
辿り着いたのは
島の端にある大きな岩場

MAP

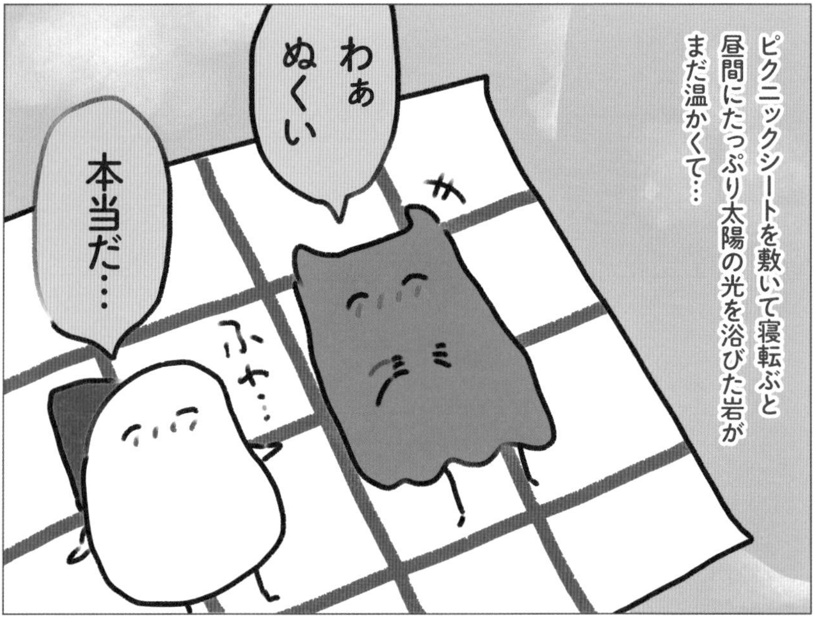
ピクニックシートを敷いて寝転ぶと
昼間にたっぷり太陽の光を浴びた岩が
まだ温かくて…
わぁ ぬくい
本当だ…
ふや…

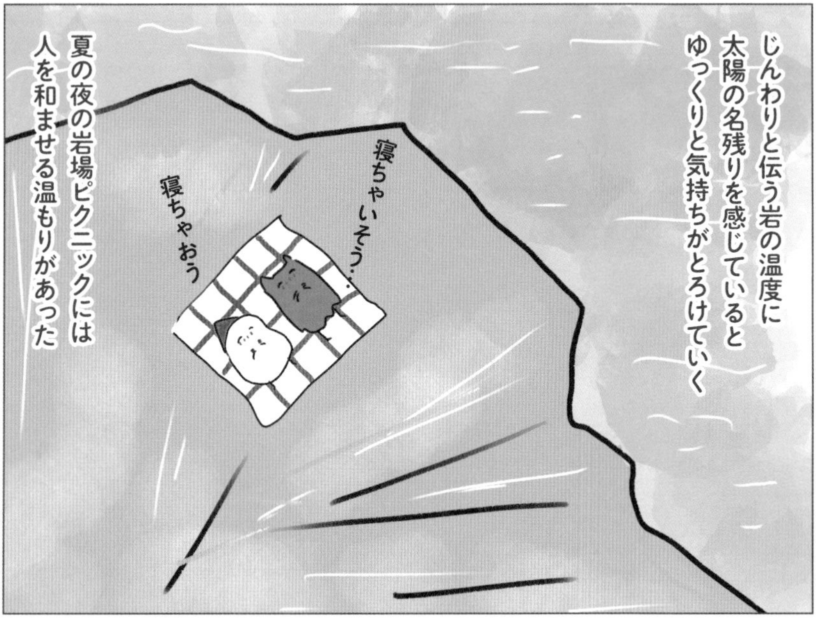
じんわりと伝う岩の温度に
太陽の名残りを感じていると
ゆっくりと気持ちがとろけていく
寝ちゃいそう…
寝ちゃおう
夏の夜の岩場ピクニックには
人を和ませる温もりがあった

音楽博物館でソロカラオケを楽しむ

フィンランドのカラオケは
お立ち台スタイルで
シャイな私にはハードルが高かったけれど…
日本のカラオケボックスが恋しいッ!!

なんと…偶然入った音楽博物館に
ソロカラオケボックスを発見!!
えぇ～!!
フィンランドで初めて見たッ…
しかもVRゴーグルをつけて楽しむ
最新カラオケだった
Choose your style
Next >

MAP

タッチパネルで曲を選んで予約したらボックスで歌うことができる
わあぁ!! 大好きなフィンランドのアーティストの曲がたくさんッ
フィンランドだからね
日本のカラオケに入っていないフィンランドの曲が歌える…しかも1人で!!
Junni Selväsn Päih

ちなみにVRで好きな景色を選択して歌えるのだが…
“ミュージックセンター”にしたら無言＆無表情のフィンランド人たちが映し出されてすっごく緊張した…！
ぐ
アッア…
おすすめは大自然の景色だけどこのシュールさも楽しい…

世界一のスーパーには人気の寿司がある

ヘルシンキから電車で30分ほどの
Järvenpää《ヤルヴェンパー》駅には
〝世界一のスーパーマーケット〟に選ばれた
K-Citymarket《コーシティマーケット》がある
ここが世界一の…!!
terveltuloa
K CITYMARKET

中は広々としていて
店内調理のお惣菜や
アイスクリームにスイーツも充実している
お菓子もいっぱい…

MAP

しかしスーパー1番の売りは…
SUSHI!!
ドドンと大きなお寿司コーナー
その場で作るお寿司のビュッフェが
このスーパーの目玉コーナーなのだ
お米が入ってる

オーナーさんが日本好きで
フィンランドに初めてお寿司の
シャリマシーンを持ち込んだそうだ
みんなお寿司
大好きなんだね
行列のできるお寿司コーナーに
なんだか日本文化を誇らしく思った日だった

異国の IKEA はなぜだか懐かしい

家の細々とした買い物をしたい時は…
やっぱり IKEA に行く
IKEA
日本でも中国でも…
そしてフィンランドでも
お世話になりますッ

どの国でも IKEA の造りは同じなので…
レイアウトも
売り物も日本と
同じで懐かしい!!
同じ香りもする…
わな
わな
わ…
異国の IKEA なのに懐かしいと感じる
謎の現象が起こる

MAP

しかもフィンランドならではなのが…
マリメッココラボが売り切れてない!!
まだある!
日本では↑即完売だった
サウナグッズが充実!!
さすが…
軽食にピザがある!!
うま…

そして IKEA から徒歩圏内にアウトレットモールもあるので1日かけて買い物するのがルーティンになっている
徒歩10分
アウトレット①
アウトレット②
IKEA
楽しい…

自然の中でピクニックをする

去年友人と訪れた
小さな半島の美しい遊歩道に入った時…
あ…私…
ここ知ってる
…と思った

そこは何年も前に別の友人に
連れてきてもらった島で
あの時の島は
ここだったんだ…
こっちにバード
タワーがあるよ
バードタワー（展望台）の案内までデジャヴで
フィンランド人の定番コースなんだとわかって
かわいかった

MAP

この島の名前は
Lammassaari《ランマスサーリ》
Lammas は羊
saari は島の意味で…
わァァ～
羊がいるッ
近くの島では運がいいと
羊に会うことができる

のんびりくつろぐ羊のように
自然の中でピクニックを楽しむ
平和だ…
フィンランドを好きになった理由を
来るたびに思い出す
特別な島なのだ

ミッドサマーは Seurasaari へ

6月にはミッドサマー（フィンランド語ではユハンヌス）を祝うためのホリデーがあり
実家に帰ってゆっくりするよ
サマーコテージで過ごすよ！
多くの同僚たちがヘルシンキを離れてゆっくり祝日を過ごす

そんな中　ヘルシンキでミッドサマーを過ごす人たちの定番がSeurasaari《セウラサーリ》島の夏至祭！
初めてのユハンヌス…
私もチケットを購入して1人で島にやってきた

MAP

島には屋外サウナやフードテントがあり
ミニコンサートも開催されていて
1日中楽しめる
これが北欧の
〝夏祭り〟……！
ステージでは
伝統的なダンスも！

ミッドサマーの夜は
大きなたき火でフィニッシュなのだが…
今年は風が強く
乾燥しているので
たき火は中止です
ぽけ～
そんなハプニングもありつつ
22時までゆるい音楽に包まれて
北欧の夏をめいっぱい楽しんだ

大きなかもめに惹かれて美術館に入る

ヘルシンキの街で
思わず二度見してしまったのが
ゴゴゴ…
とてもリアル
えッ…!?
巨大な
かもめ…!?
大きなかもめが目印の
Helsinki《ヘルシンキ》 Art《アート》 Museum《ミュージアム》
略してHAMという美術館だ

ここの展示は時期により変わるのだが
ムーミンの作者トーベ・ヤンソンのコーナーは
常時展示されている
ポップ…
ふふ
ムーミン
そして隣に映画館があるので
入口からポップコーンの香りがして好き

MAP

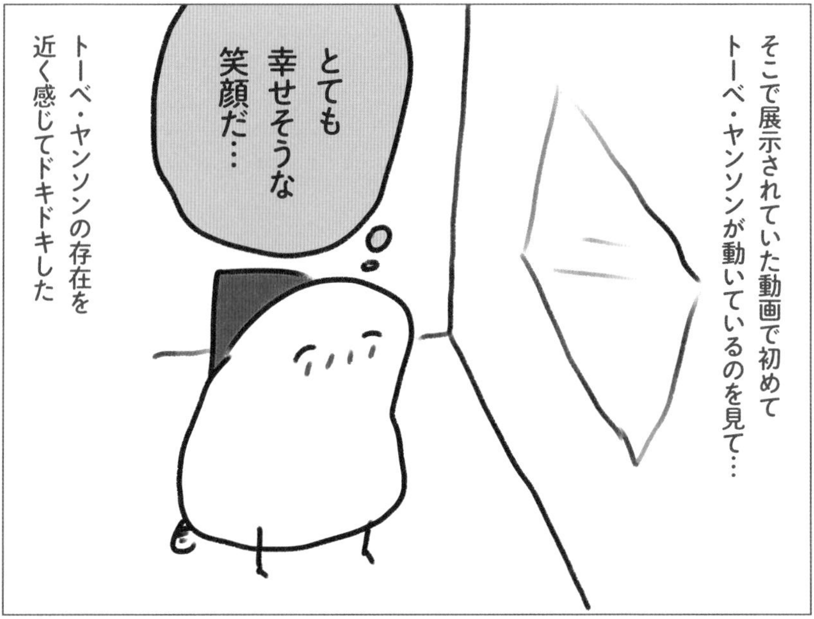
そこで展示されていた動画で初めて
トーベ・ヤンソンが動いているのを見て…
とても
幸せそうな
笑顔だ…
トーベ・ヤンソンの存在を
近く感じてドキドキした

HAMにはミュージアムショップもあり
アクセサリーからポスター 画材まで
扱われていて 見るだけでも楽しい
迷う～
大きなかもめは
フィンランドアートの守り鳥だ
HELSINKI

スポーツバーで観戦するのもいい

サッカーやアイスホッケーなどの
大きな試合の時には
地元のスポーツバーを訪れる
Bar & Restaurant
BEERHOUSE
TÖÖLÖ
CRAFT BEER, FOOD AND SPORTS
ヘルシンキには
いくつものスポーツバーがあり
ここ Sports《スポーツ》 bar《バー》 Töölö《トーロ》 も
人気店の1つだ

普段あまりスポーツを見ない私だが
スポーツ好きな人たちと
チームを応援するのは大好きだ
がんばれ〜〜ッ!!
ビールを片手にみんなで声援を送っていると
一体感も感じられる

MAP

私が移住した年はちょうど
サッカーワールドカップの年だったので
Japani!!
日本好きなフィンランド人の友人と
スポーツバーで一緒になって応援した

スペイン対日本で
最初はスペインを応援していたバーの人たちが
大声の友人の声援につられて…
Japani!!
Japani!!
Japani!!
最後はバー全体で日本を応援!
100倍楽しいスポーツ観戦になった

フィンランドの薬局には薬以外のお目当てがある

フィンランドで薬局を探すのは簡単だ
Apteekki
YA
街中で「Apteekki《アプテーッキ》」と書かれた
緑の看板を見つけたら
それが薬局だ

病院で処方箋をもらった時も
このApteekkiで薬を受け取るのだが…
痛み止めが欲しくて…
こちらですよ!
もちろん一般的な薬も
スタッフに相談するとすぐに案内してくれる

私が薬局を訪れるのは
薬が欲しい時だけではなく…
あった!!
薬局で売られている
1番濃厚なサルミアッキ！
SALMIAKKI
PULVERI
APTEEKIN SALMIAKKI®
Haganol
その名も…“薬局のサルミアッキ”！
APTEEKIN SALMIAKKI
を買いに行くこともある

元々サルミアッキの歴史は
薬として使用されていたのが始まり
今もタブレットやパウダー
液体タイプまで売られている
薬局の
サルミアッキこそ
〝本物〟だと思うよ
い…今までで
1番強い味がする…

クレイジーデイズのセールを楽しむ

ヘルシンキの最大手デパート
STOCKMANN《ストックマン》が
黄色に染まる日が年に2回ある…
それは〝Hullut Päivät《フルット パイヴァ》〟
クレイジーデイズという名の
春・秋の大セールだ
Galna Dagar
Hullut Päivät
GIORGIO ARMANI

このセールには国民に長年親しまれている
黄色いおばけのイメージキャラクターがいる
おばけだ!!
外のディスプレイも店内のサインも
黄色で埋め尽くされるのだ
KÄNSLAN SOM VARAR - SEDAN ÅR 1862

MAP

店内の商品が20～50％オフになるので
多くの人がセール前に〝下見〟までして楽しむ
専用のカタログも
用意されている…
KAIKKEA PAITSI HETKEN HULLUTUKSIA.
KE–KE/ONS–ONS 28.9.–5.10.2022
Hullut Päivät
Galna Dagar
セール日には朝から仕事前に買い物をしたり
オンラインで狙った商品をゲットしている

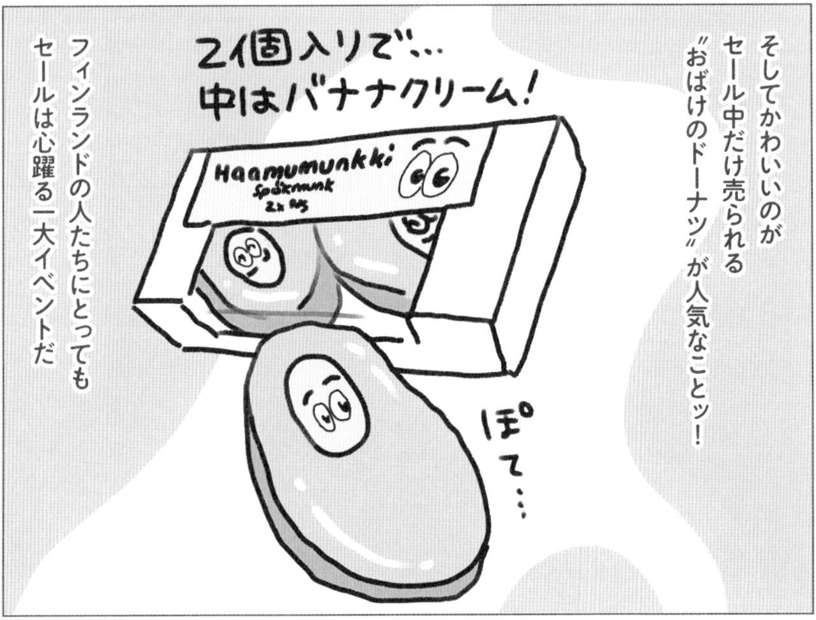
そしてかわいいのが
セール中だけ売られる
〝おばけのドーナツ〟が人気なことッ！
2個入りで…
中はバナナクリーム！
Haamumunkki
Spökmunk
ぽて…
フィンランドの人たちにとっても
セールは心躍る一大イベントだ

憧れの夜行列車でラップランドへ

私が何年も憧れ続けた乗り物
Santa《サンタ》 Claus《クロース》 Express《エクスプレス》 は
ヘルシンキとラップランドを繋ぐ夜行列車だ
わぁぁぁッ!!

予約した寝台列車は
2段ベッドになっていて
オリジナルの
ブランケットが
用意されている…
列車内にはシャワールームも完備

MAP

そして何よりもテンションが上がったのが…
深夜まで開いているレストラン車両！
ビール…買うの早ッ!!
チャッ
もちろんビールを注文して
窓辺のテーブル席に座る

23時過ぎに出発の列車…
静まり返った街と
〝今から旅に出る〟自分とのギャップに
ワクワクする
自由って…いいな…
この旅はフィンランドに移住して
初めての1人旅
きっと特別な旅になる…
北に向かう車窓を眺めながら
そんな予感がした

愛してやまないハンバーガーフェスティバルがある

夏に開かれるいろんなフェスの中でも
私が楽しみにしているのが…
ハンバーガー
大好き!!
BURGER《バーガー》 LOVERS《ラバーズ》という
ハンバーガーフェスだ!

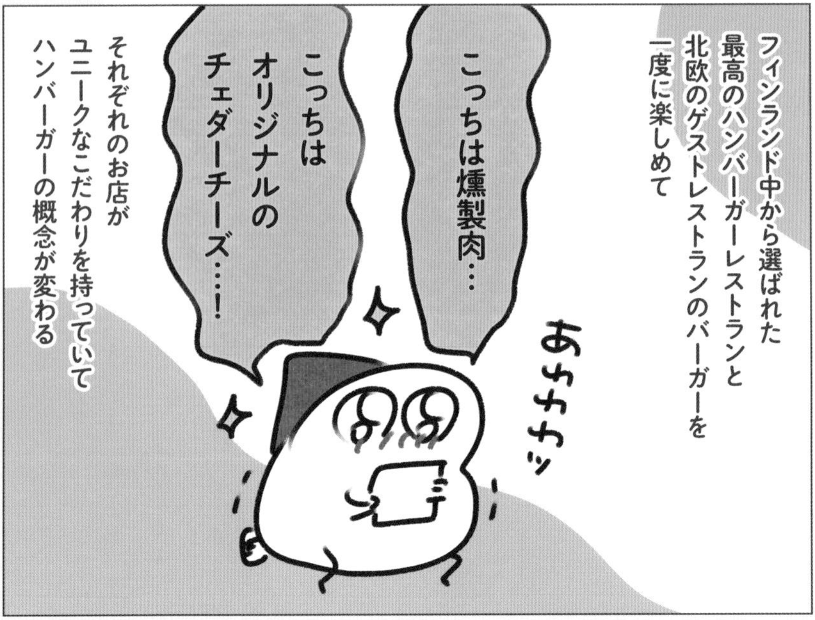
フィンランド中から選ばれた
最高のハンバーガーレストランと
北欧のゲストレストランのバーガーを
一度に楽しめて
こっちは燻製肉…
こっちは
オリジナルの
チェダーチーズ…!
あわわわッ
それぞれのお店が
ユニークなこだわりを持っていて
ハンバーガーの概念が変わる

この年のゲストは
スウェーデンから出店していた
Bastard《バスタード》 Burgers《バーガー》
普段なかなか
食べられない
バーガーに
出会える喜び…！
フェスでの好評を受けてか
その年にはヘルシンキ中心地に
フィンランド初出店を果たした
BASTARD BURGERS
STREETFOOD CO
BASTARD BURGERS
VEGAN BURGERS
SEE YOU AT
MIKONKATU 8
LATER THIS YEAR

おいしいバーガーを
夏空の下で思いっきり頬張る
はむっ
あぁあッ…
幸せッ…!!
最高の夏が来た！
と感じる瞬間だ

フィンランドで冷たい水に飛び込むのはサウナ後だけではない

冬の水辺に飛び込むアバントは
サウナの後にするのが定番だが…
そのまま
飛び込むのも
最高なんだよ
えッ…!?
サウナなしで!?
まさかのサウナなし寒中水泳に
誘われた

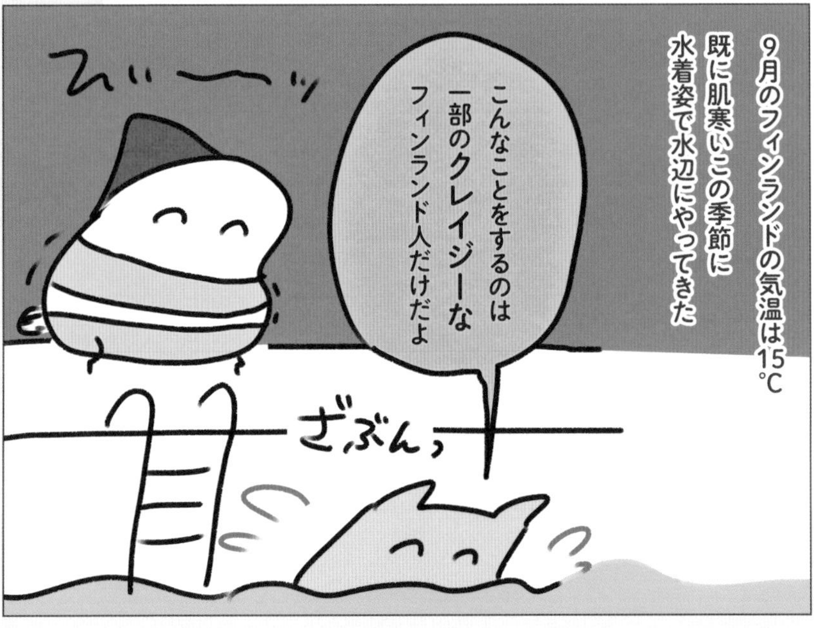
9月のフィンランドの気温は15℃
既に肌寒いこの季節に
水着姿で水辺にやってきた
こんなことをするのは
一部のクレイジーな
フィンランド人だけだよ
ひぃ〜〜ッ
ざぶん

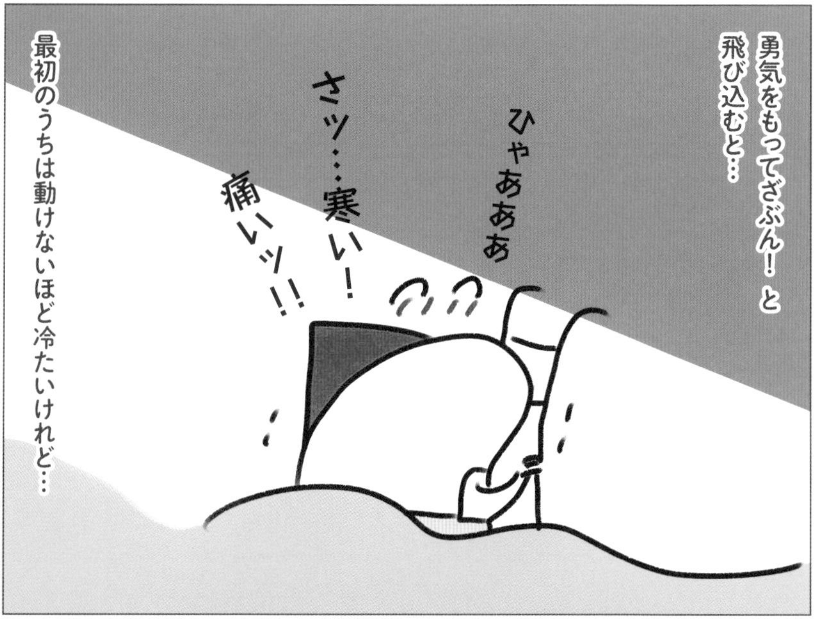
勇気をもってざぶん！と
飛び込むと…
ひゃあああ
サッ…寒い！
痛いッ!!
最初のうちは動けないほど冷たいけれど…

あっという間に慣れて心地よくなり
陸に上がるとしっかり〝整う〟
水面と空が溶け合いそうな
夕暮れ時の寒中水泳は
ここだけ時間が止まったような
神秘さがあった

お気に入りの場所に特等席を作る

ある晴れた日　お気に入りの水辺に
白い1人掛けのイスを発見した
わ〜…なんて
ステキなんだ…
あまりに心地よくて
これはきっと
お気に入りの場所になると思った

しかし翌日訪れると
あの白いイスはなくなっていた
ないひ…
幻みたいな
イスだったな…
水辺を見渡せた丘の上のイス
なくなってしまった寂しさを感じたけれど…

そうだ…！
自分でイスを
置けばいいんだ!!
ジーニアスッ!!
ハッ
こうして私はすぐ
アウトドアショップで
折り畳みイスを買い…
大きめの
ヘリノックス

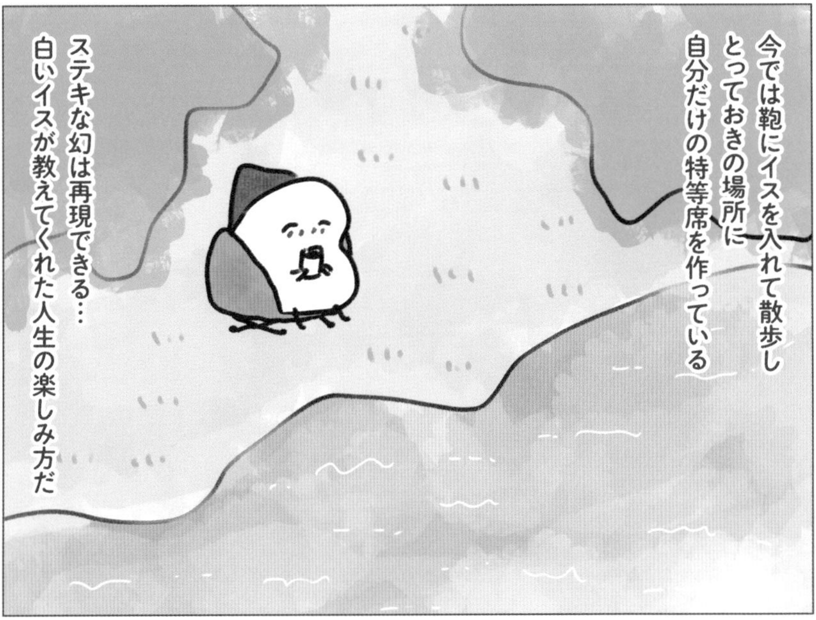
今では鞄にイスを入れて散歩し
とっておきの場所に
自分だけの特等席を作っている
ステキな幻は再現できる…
白いイスが教えてくれた人生の楽しみ方だ

朝はラジオの音と共に過ごしてみる

ある日 フィンランド人の友人と話していると…
スマホのアラームじゃなくてラジオで目覚めているんだ
朝一番にスマホを見るのがあまり向いていなくてね
ステキ…!!

早速私も取り入れるためおすすめのラジオを教えてもらう
アラーム機能があって…コンセント＆電池どちらも対応だと災害時にも使えて便利だと思うよ！
これにしますッ！

お迎えしたラジオは…
平日だけの設定もできていいね！しかも15分で止まる！
好きなラジオ局も設定できるよ
CMのない国営の放送がおすすめ

こうして今では毎朝ラジオの音で目覚める生活を送っている
スマホを見るのはコーヒーを淹れてから…
しばらく聴いていよう…
フィンランドに来てできた心地よい朝のルーティンだ

ミュージアムカードで美術館をハシゴする

フィンランドで入手して
本当によかったと思うのは
このミュージアムカード!!
#museot
KAIKKIEN AIKOJEN KORTTI
Museokortti • museot.fi
年間76€でフィンランドにある
360もの美術館や博物館を巡れるのだ

ラップランドの美術館に行った時にも
このカードが使えて嬉しかった
わぁあ…
ここでも
使えるんだ…!
ピッ
入館料が20€を超える所も多いので
とてもお得だ

そしてこのカードを持っていると
嬉しいのが…
ちょっと
涼みに行こうか
いいね
あの美術館の2階
行ってみたいんだ
展示をフルで見ずに〝ちょっと見〟したり
雨宿りしたり 気軽に行けること！

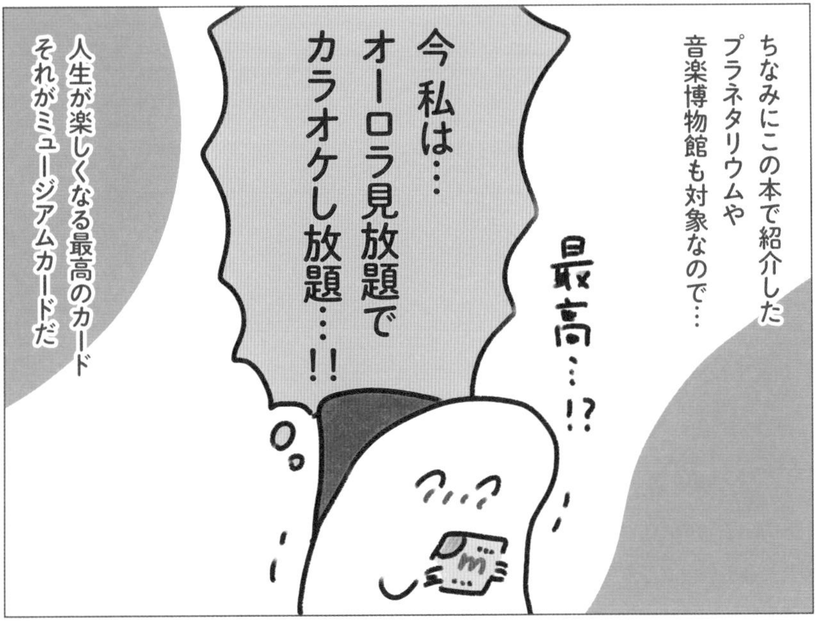
ちなみにこの本で紹介した
プラネタリウムや
音楽博物館も対象なので…
今
私は…
オーロラ見放題で
カラオケし放題…!!
最高…!?
人生が楽しくなる最高のカード
それがミュージアムカードだ

ノマドに最適なカフェで仕事をする

外でパソコン仕事をする時に行く
お気に入りの場所がいくつかある
1つ目は定番のヘルシンキ中央図書館 Oodi《オーディ》
カタタタ
これが終わったら
チョコケーキ食べる!!
仕事が一段落した時に
カフェでケーキを買うのが楽しみ

MAP

次が Kamppi《カンピ》 Centre《センター》 の中にある
ESPRESSO《エスプレッソ》 HOUSE《ハウス》
22時まで営業していて席数も多い
コンセントも Wi-Fi も完備で
ほどよい暗さも落ち着く…

MAP

3つ目が国内外のノマドワーカーに
人気の駅近カフェ Roasberg《ロズベルグ》
かわいくて
気分も上がるッ
ケーキもおいしいし
いろんなタイプの席があり
ほどよく空いているのでパソコンも広げやすい

MAP

天気のよい日はヘルシンキ中央駅が見える
お気に入りの窓辺の席に座り
ここで仕事できる幸せを噛みしめる
なんて
幸せなんだ…
同じくノマドで働く人がいると
私もやるぞ！ と気合も入る
お気に入りのノマドカフェはやる気の源だ

フードデリバリーで世界が広がる

フィンランドのフードデリバリーアプリといえば
Wolt《ウォルト》とFoodora《フードラ》の2つだ
取り扱っているお店が
それぞれ違うので
2つ使っている
foodora
SUOMI
Wolt
使い方は日本のUber Eatsと同じで
家やホテルにいながら
いろんな料理が楽しめる…！

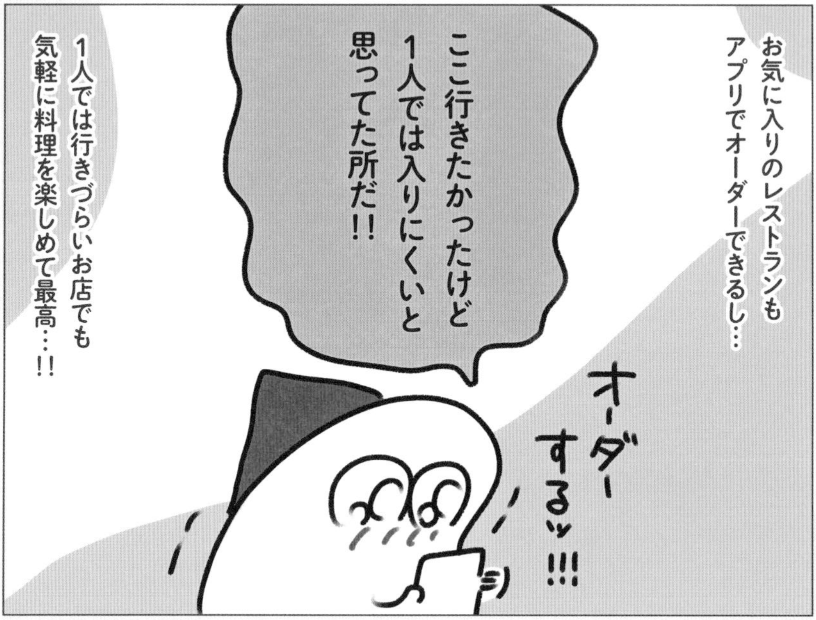
お気に入りのレストランも
アプリでオーダーできるし…
ここ行きたかったけど
1人では入りにくいと
思ってた所だ!!
オーダーするッ!!!
1人では行きづらいお店でも
気軽に料理を楽しめて最高…!!

職場でまかないのデリバリーを取った時は…
なッ…何これ めちゃおいしい!!
ここ めちゃ おすすめだよ
デリバリーがきっかけで
おいしいレストラン情報を
シェアし合うこともあった

ちなみにレストラン以外にも
スーパーはもちろん
様々なものがオーダー可能で…
ええッ…
STOCKMANN《ストックマン》に
iittala《イッタラ》のショップまで
デリバリーできる…!!
お花屋さんや風船ショップもあり
急なプレゼント手配も安心だ

冬にもコテージを借りて過ごす

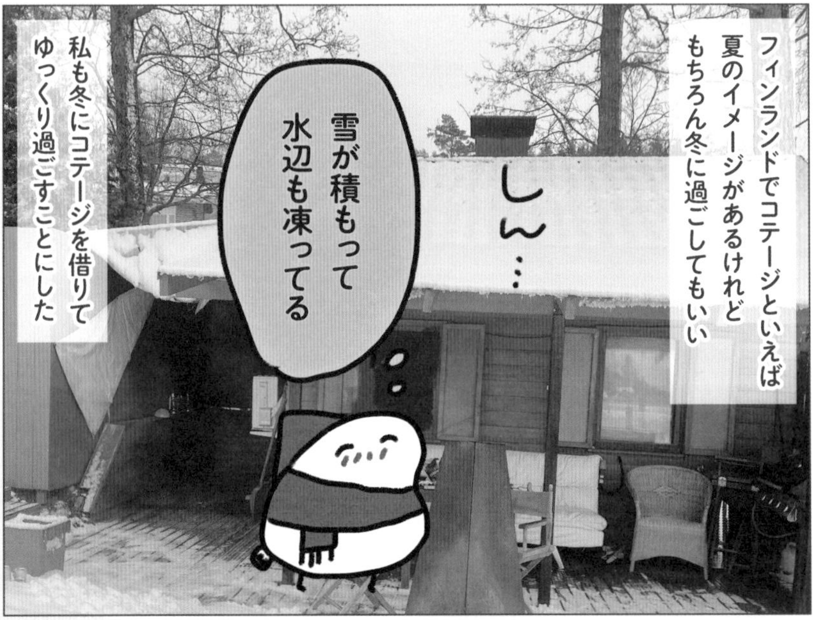
フィンランドでコテージといえば
夏のイメージがあるけれど
もちろん冬に過ごしてもいい
しん…
雪が積もって
水辺も凍ってる
私も冬にコテージを借りて
ゆっくり過ごすことにした

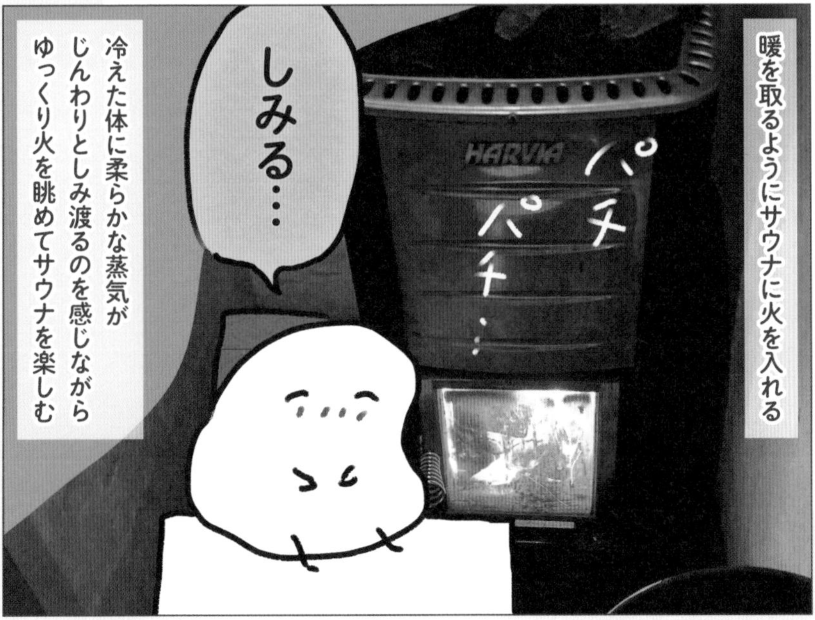
暖を取るようにサウナに火を入れる
HARVIA
パチパチ…
しみる…
冷えた体に柔らかな蒸気が
じんわりとしみ渡るのを感じながら
ゆっくり火を眺めてサウナを楽しむ

体が熱々に温まったら
思いっきり雪へとダイブ!!
ボフッ
ひゃ～冷たいッ
凍った海に飛び込むよりも
上級レベルと言われる雪ダイブ…
全身で感じる雪の感触と冷たさが気持ちいい

ダイブの後は
雪に埋めて冷やしておいた
フィンランドのビールと
ロンケロでフィニッシュ
ふわ…
これが冬の幸せだ…
1月のコテージには
北欧の冬ならではのよさがあった

フィンランドの生イーストを使ってドーナツ作り

フィンランドでイーストといえば
生イーストが一般的で
スーパーでも冷蔵コーナーに売られている
ちんまりしてて
かわいい…
キュンです
使いやすい小さなサイズで
ブルーの包み紙もかわいい

早速生イーストを使って
ドーナツを作ってみる
わぁ…粘土みたいに
ふにふにで気持ちいいッ！
ムチムチだ〜
初めての生イーストに逐一感動

こうして出来上がったドーナツは
もちもちフワフワで…
おいしすぎるッ!!
なんだかいつもより特別に感じた

作り慣れたレシピの材料を
少し特別なものに代えるだけで
次は
フィンランドの
はちみつを
使ってみよう!
おいしそ
料理はもっと楽しくなるのだと知った
生イーストとの出会いだった

休日前の自由な夜はスーパーへ

明日は休み
そんな開放感が好きだ
なんだってできるような自由な深夜
スーパー…
行っちゃおうかな
エヘヘ
今!!
ふと思い立って特に理由もなく
スーパーに行ってみたくなる

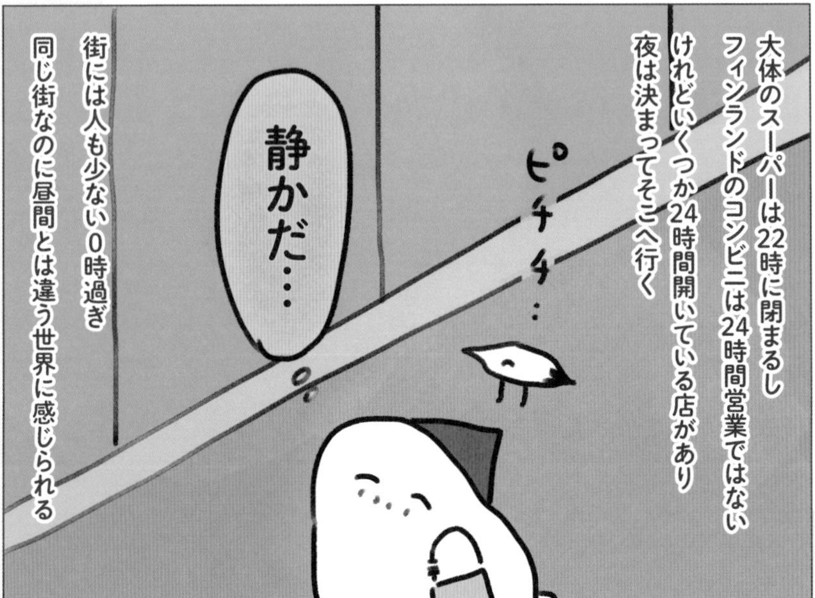
大体のスーパーは22時に閉まるし
フィンランドのコンビニは24時間営業ではない
けれどいくつか24時間開いている店があり
夜は決まってそこへ行く
ピチチ…
静かだ…
街には人も少ない0時過ぎ
同じ街なのに昼間とは違う世界に感じられる

ゆるい雰囲気の店員さんと
ほんのわずかな買い物客
あこのアイス
いいかも…
無計画は無限大
その時の気分で
休みの前の夜にふさわしい買い物を
自由に楽しむ
21時以降なので
お酒は買えない

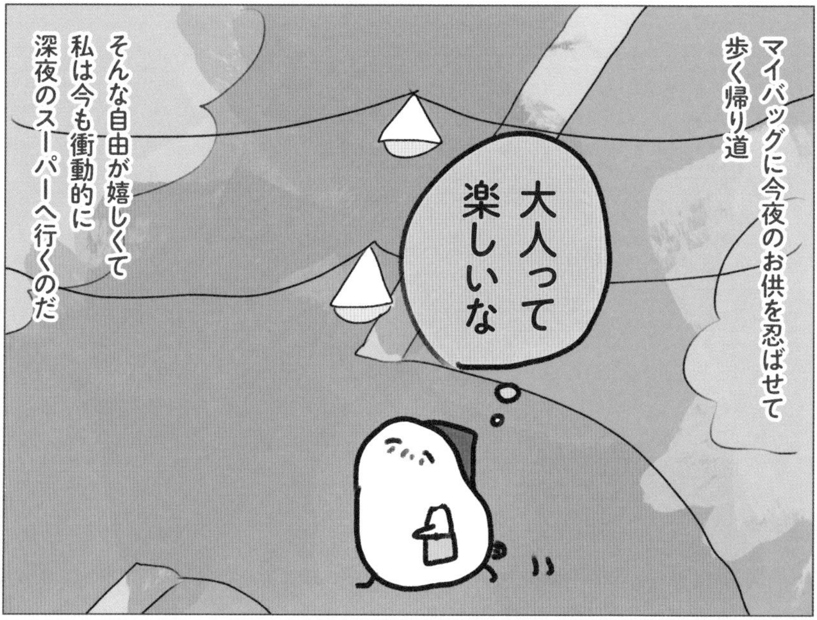
マイバッグに今夜のお供を忍ばせて
歩く帰り道
大人って
楽しいな
そんな自由が嬉しくて
私は今も衝動的に
深夜のスーパーへ行くのだ

退勤後を大自然の中で過ごしてみた

ある平日の仕事終わりに
ヘルシンキ中心地から
バスで約40分の場所にある
小さな牧場を訪ねた
Haltiala《ハルティアラ》 Domestic《ドメスティック》 Animal《アニマル》 Farm《ファーム》では
夏になると赤い小屋のカフェがオープンする
Wanha Pehtoori

のんびりとくつろぐ羊や牛たちを
眺めていると
せわしなく過ごして緊張気味の脳も
ほぐれるようで…
平日夜に
牧場に
来るのって
なんかいいね

MAP

5月末の22時は
フィンランドでは初夏の夕暮れ時だ
低くなる夕日を眺めながら歩くうちに
草原が濃いオレンジに包み込まれる

そして空が青く変わりゆく中
人間には…こんな時間が必要だ
平日の夜 テレビやパソコンの前でなく
大自然の中で過ごすという選択肢を
当たり前に持ちたいと思った夜だった

架空の職場や同僚のおかげで仕事がはかどる

家の中で仕事をするのも好きだけど…
今日はコワーキングスペースに行こう
MOW
集中したい時はコワーキングスペースを利用する

観光客でも使いやすいMOW《モウ》は1日30€で使うことができ
マグカップがマリメッコなのかわいいッ…
おいしいスペシャリティコーヒーと出来立てのポップコーンが食べ放題だ

MAP

広々とした作業スペースには
静かに仕事中のフィンランドの人たち
1人じゃないぞ…！
私もつられて仕事がはかどるし
架空の同僚ができたようで
嬉しくなる
カタ
カタ

8時から17時までという
ホワイトな利用時間もいい
お疲れ様です
私も帰ろう
〝ここに行けば集中できる〟
そんな仕事のお守りのような場所だ

何年経っても色あせない特別な香りがある

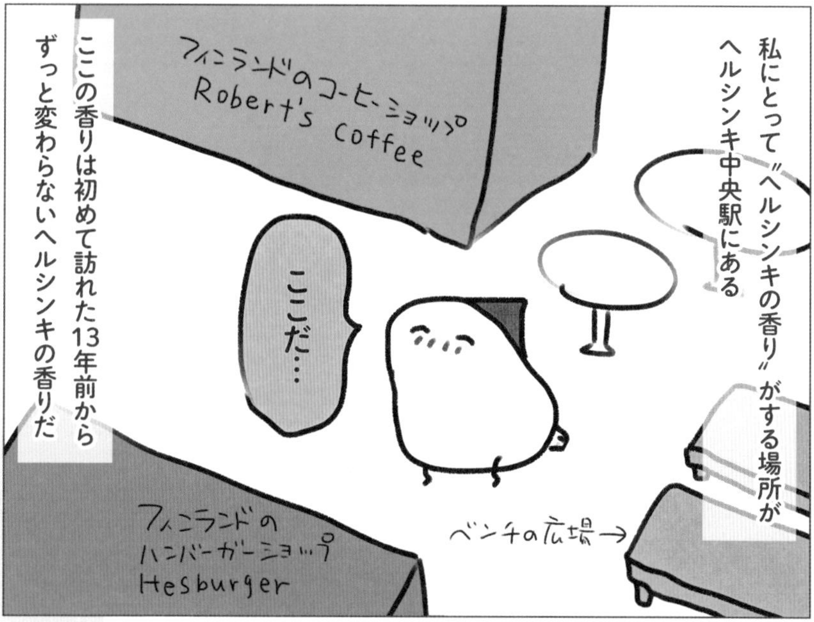
私にとって〝ヘルシンキの香り〟がする場所がヘルシンキ中央駅にある
フィンランドのコーヒーショップ Robert's coffee
ここだ…
ベンチの広場→
フィンランドのハンバーガーショップ Hesburger
ここの香りは初めて訪れた13年前からずっと変わらないヘルシンキの香りだ

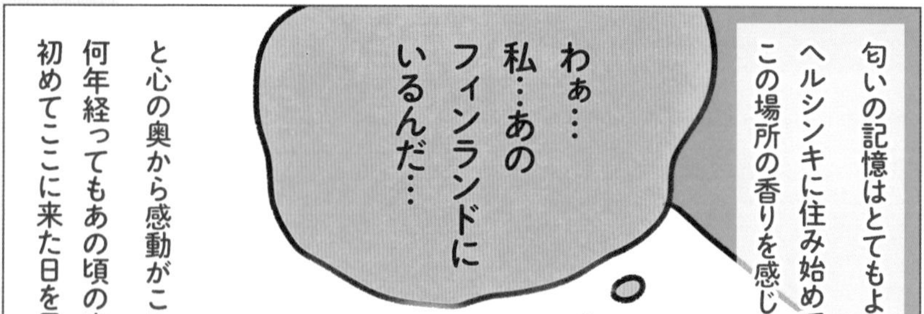
匂いの記憶はとてもよく残る
ヘルシンキに住み始めて街が日常に変わってもこの場所の香りを感じると
わぁ…
私…あの
フィンランドにいるんだ…
キュ…ン
と心の奥から感動がこみ上げてくる
何年経ってもあの頃のまま初めてここに来た日を思い出せる特別な香りだ

MAP

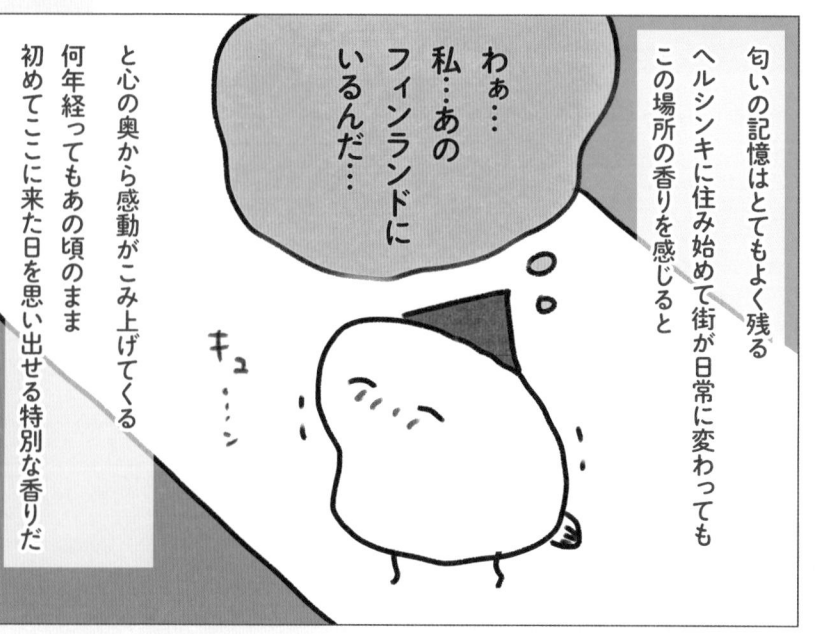

個性を感じるヘルシンキのフリーマーケットに行く

ヘルシンキには様々な業態の
セカンドハンドショップがあるけれど
中でも個性的なのは個人ブース型だ
Helsinki《ヘルシンキ》 Flea《フレア》 Market《マーケット》 や Matka《マトカ》 Kirpputori《キルップトリ》 などは
ブースをレンタルして出店するスタイルで
番号ごとに出品者が異なる！
12
13

個人ブース型のセカンドハンドショップは
それぞれに生活感が見られて楽しい
このブースは小さなお子さんがいるお宅かな…
こっちはDIY好きなお家なんだろうなぁ
まるでいろんな人のお家を訪問している
ような気分になるお店だ

Column 3

ヘルシンキ周辺の島

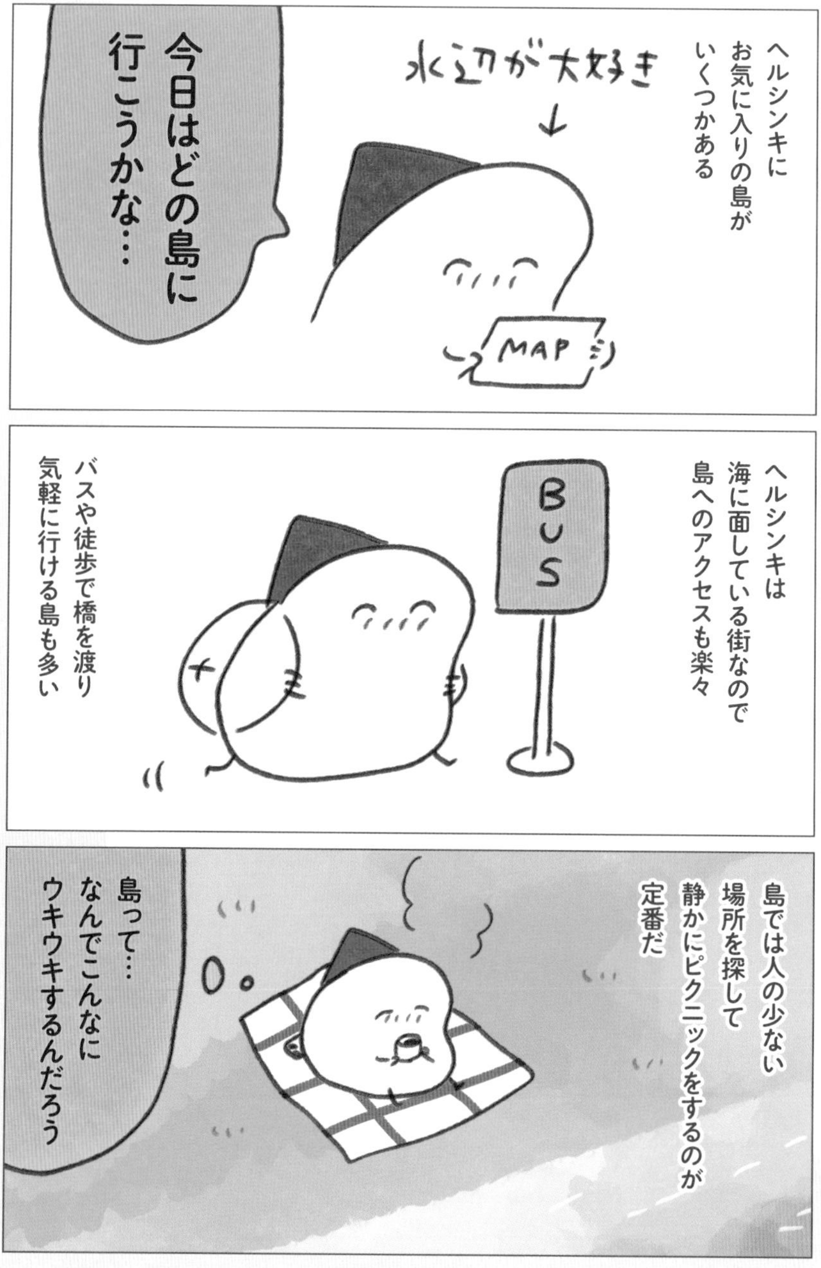
ヘルシンキにお気に入りの島がいくつかある
水辺が大好き
MAP
今日はどの島に行こうかな…
ヘルシンキは海に面している街なので島へのアクセスも楽々
BUS
バスや徒歩で橋を渡り気軽に行ける島も多い
島では人の少ない場所を探して静かにピクニックをするのが定番だ
島って…なんでこんなにウキウキするんだろう

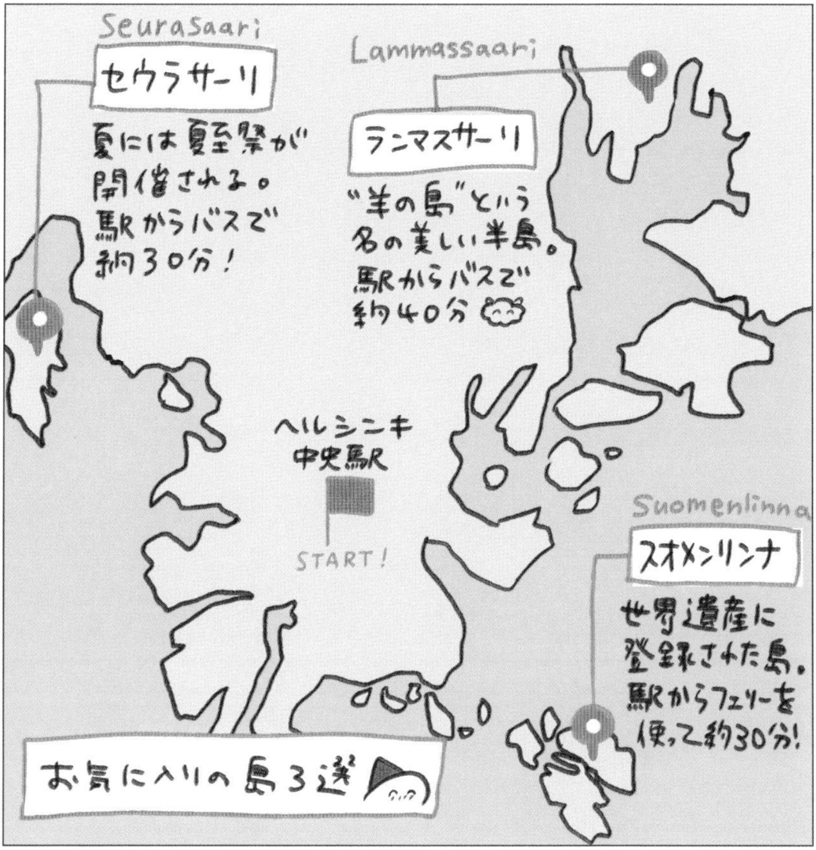
お気に入りの島3選
Seurasaari
セウラサーリ
夏には夏至祭が
開催される。
駅からバスで
約30分！
Lammassaari
ランマスサーリ
"羊の島"という
名の美しい半島。
駅からバスで
約40分
ヘルシンキ
中央駅
START！
Suomenlinna
スオメンリンナ
世界遺産に
登録された島。
駅からフェリーを
使って約30分！

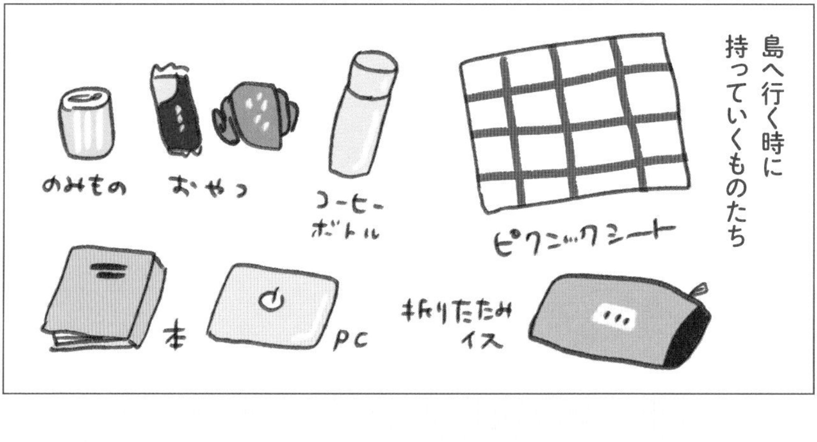
島へ行く時に
持っていくものたち
のみもの
おやつ
コーヒー
ボトル
ピクニックシート
本
PC
折りたたみ
イス

フィンランドのおすすめフードデリバリー

フィンランドの2大フードデリバリーといえば、WoltとFoodora。ヘルシンキの街を歩いていると、背中に大きなリュックを背負った配達員さんをひっきりなしに見かける。デリバリーのよいところは、家にいながらいろんなレストランの味を楽しめること……!

基本1人旅だった私は、行きたい店があっても「1人だと入りにくいかな」と店の雰囲気を見て諦めることもしばしば。けれどデリバリーなら、そんなこと気にせず何でも注文できる……!

今回紹介したルーティンの中にも、デリバリーできる店がたくさんある。ホテル滞在中にいろいろ頼んで楽しむのもステキだと思う。

本書で紹介したデリバリー可能な店

Via Tribunali (P34)
ペペロンチーノ風ホワイトピザがおいしい。

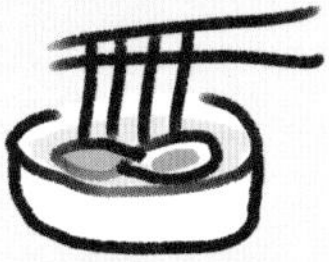

Fat Ramen (P46)
フィンランド人オーナーさんのラーメン店。

Boneless Burger (P50)
この店だけはFoodora限定。

Noodle Master (P58)
担々麺が人気。(辛いものが苦手でなければ) 辛さはミディアムがおすすめ。

Dong Bei Hu (P58)
すべての一品料理に白米が付いてくる。

Xiao Mei Lin Dumplings (P59)
二日酔いにも人気の中華フードデリバリー。

STORY (P61)
サーモンスープが人気。

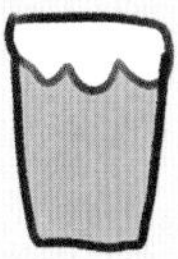

Woolshed Helsinki (P86)
ステーキもオーダー可能。ペッパーソースがフィンランドの定番だ。

Part
4

買う

日本からフィンランドへ
移住する直前
ロシアとウクライナの
戦争が始まり…
EMS（国際郵便）が
全面ストップ
になった！
荷物はフィンエアーで
持っていくことに
限られた荷物を持って
降り立ったフィンランドで
これからここで…
暮らしが始まって
いくんだ
と思った
今までは
〝いつか
フィンランドに移住する〟
という夢のために
今は“仮暮らし”
だから…
日本で大きな家具の
買い物はしなかったけれど

ずっと使うかも
しれない…
これからは〝人生の相棒〟を
選ぶような買い物を
ついに始められる…
大きな買い物から
小さな買い物まで
フライパンと
計量スプーン
買わなきゃ…！
1つ1つに悩んだり
直感に頼ったりしながら
自分にとって
心地よい生活を
〝いつか〟に先延ばしせず
作っていきたい
スリスリ
お気に入りが
見つかって
よかったね

おしゃれ着専門の古着屋さんでトレジャーハントをする

ある日アパートの周りを
散歩している時に見つけたお店 relove《リラブ》
わ…
おしゃれな洋服屋さん？
relove

お高めのセレクトショップかな？ と
恐る恐るお店を見ると
relove
SECOND HAND
& CAFÉ
セ…セカンド
ハンドショップ…！
なんとおしゃれ着専門の
古着屋さんだった！

MAP

ここは他のセカンドハンドショップより
状態のよいブランド物が中心で
わ〜ッ
marimekko《マリメッコ》のワンピースに
探していたシャツまでッ…！
北欧ブランドの服も多めだ

ヘルシンキ市内に3店舗あり
キュートなカフェも併設されていて
行くたびに違った洋服がある…
わ…すごい…
1週間でかなり
入れ替わっている…！
楽しい…！
そんな一期一会の
トレジャーハントが楽しくて
つい定期的に訪れたくなるお店なのだ

個性的な雑貨を扱うお気に入りの店がある

私は昔から〝少しクセのある雑貨〟が大好きで
他にはない個性的なデザインの品物に萌える…！
ヘルシンキの美術館にある
ミュージアムショップも
個性的で大好き！

そんな私が最近愛してやまないお店が
ヘルシンキの中心にある
My《マイ》 O《オー》 My《マイ》という
北欧デザインの雑貨を扱うお店だ
MYOMY

MAP

店内にはカラフルな食器や
文房具にアクセサリー…
デンマークデザインの
かわいい鉢…
買うッ!!
セレクトされたおしゃれな本まで
幅広い品揃え

クリスマス時期に作られる
個性的なオーナメントコーナーもステキで…
キラキラお寿司の
オーナメント…!?
遊び心いっぱいの店内を歩くと
思わず〝贈りたい人〟の顔が浮かぶ…
そんな幸せの〝クセあり〟ショップだ

フィンランドのペットショップでおもちゃを買う

大きめの商業施設に行くと
必ず見かける大手ペットショップ
店内では飼い主たちが
犬を連れてショッピングを楽しんでいる
カルイイッ
Musti ja Mirri
LELUT
KISSAT

PIENELÄIMET
犬や猫はもちろん
ハムスターや小鳥など
小動物の用品も揃う
ヨカッタ…

フィンランドのペットショップでは
生体の取り扱いは禁止されていて
店内で売られているのは
ペット用品やフードのみだ

MAP

中でもテンションが上がるのは
猫ちゃんのおもちゃコーナー!!
お寿司のおもちゃ!?
ブリトーの
けりぐるみ!?
かわいすぎるッ
海外らしいデザインで
見ているだけで楽しい!

愛するペットにプレゼントを選ぶ…
そんな時間も愛おしくて特別だ
妹の猫ちゃんにお寿司のおもちゃを
プレゼントしたら遊んでくれた
うっ…!!
嬉しいッ!!!

憧れのブランドArtekで家具を買う

artek
定住する場所が決まったら
いつか必ずお迎えしたいと思っていたものがある
フィンランドを代表する
Artek《アルテック》の家具だ

北欧デザインの巨匠アルヴァ・アアルトが
中心となって設立したブランドで
シンプルで機能的なデザインが魅力
中でも私は家具に使われている
白樺の質感が好きだ
ここヘルシンキ中心部のショップには
家具 ファブリック 照明が
2フロアにわたって所狭しと展示されていて
まるで美術館に来たような気持ちになれる

MAP

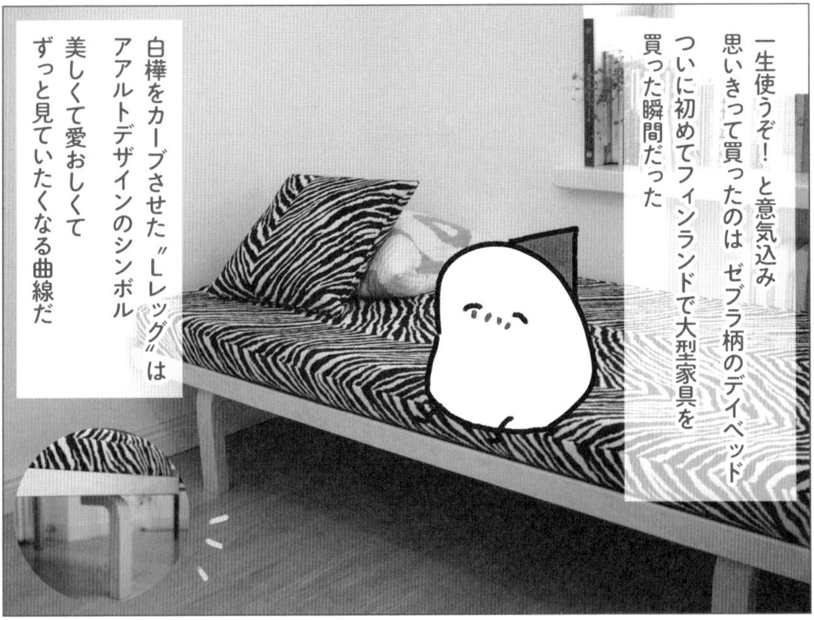
一生使うぞ！ と意気込み
思いきって買ったのは ゼブラ柄のデイベッド
ついに初めてフィンランドで大型家具を
買った瞬間だった
白樺をカーブさせた〝Lレッグ〟は
アアルトデザインのシンボル
美しくて愛おしくて
ずっと見ていたくなる曲線だ

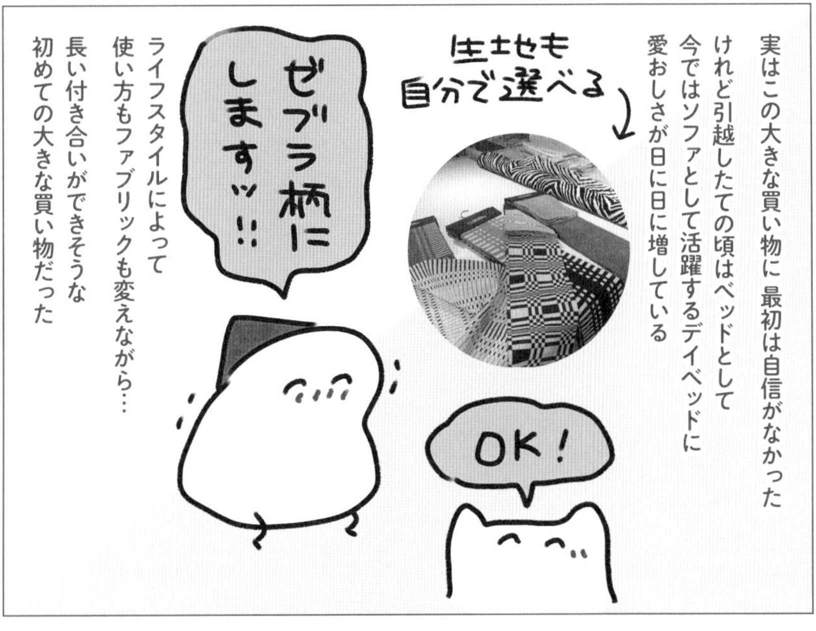
実はこの大きな買い物に 最初は自信がなかった
けれど引越したての頃はベッドとして
今ではソファとして活躍するデイベッドに
愛おしさが日に日に増している
生地も
自分で選べる
ゼブラ柄に
しますッ!!
OK!
ライフスタイルによって
使い方もファブリックも変えながら…
長い付き合いができそうな
初めての大きな買い物だった

フィンランドの歴史が刻まれた家具をお迎えする

フィンランドを代表する家具メーカー
Artek《アルテック》はヘルシンキの街角で
公式のセカンドハンドショップを運営している
それがここArtek《アルテック》 2nd《セカンド》 Cycle《サイクル》だ
artek

店内にずらりと並ぶのは
いずれもフィンランドの学校や市場　食堂などで
長く愛されてきたArtekの家具たち
既に廃盤となった貴重なデザインもあり
専門のスタッフによってメンテナンスされた
家具たちはまるで二度目の命を吹き込まれて
次の持ち主を待っているかのようだ

MAP

スタッフも家具愛に溢れていて
それぞれの家具が持つ歴史とストーリーを
教えてもらうのも楽しみの1つ
店内で出会った日本人の常連さんは
毎回気に入ったイスを買っては
少しずつ日本に持ち帰っているそうだ
確かにイスならフライトでも持ち帰れる…

何度も通いながらついに迎えたのは
海の街のダンスホールで愛されたヴィンテージの
青いテーブルと 大学の講堂で使われていたチェア
大切に…するね…！
フィンランドの歴史が刻まれた世界にたった1つの
家具とこれから共に歴史を重ねていくんだ…！
そう思うと未来がさらに楽しみになった

iittala のカトラリーは日常をさりげなく彩ってくれる

ある日 フィンランド人の友人宅を訪ねると
友人が誇らしげにスプーンを見せてくれた
これ iittalaの
カトラリーなんだ！
安いカトラリーに交じって一層大切にされていた
iittala《イッタラ》 のスプーンたちは なんだか輝いて見えた

友人から聞くまでは気に留めていなかった
iittala のカトラリーだが
お店にはいろんな種類があり ギフトにも人気だ
さりげないけど
とっても嬉しい…！
私も自分の引越し祝いにと
シンプルなカトラリーセットを買った
緑色のボックスに入ったセットは
それ自体がギフトボックスのようで嬉しい
ツヤツヤ…

植物に馴染むプラントポットを買う

フィンランド人のお宅で
iittala《イッタラ》のプラントポットに一目惚れした
CUTE…!!
ナップラという名のプラントポットは
iittalaの他の食器同様に〝つるん〟と厚く
シンプルなデザインなのに記憶に残る

お迎えして驚いたのは ナップラに植物を飾ると
窓辺がパッとおしゃれになること！
高さのある脚がぐっと植物の魅力を
引き上げてくれるようだ
ツルンッ
さすが！
ローズマリーも
お似合いですッ
水やりをする時間も楽しくなる
お気に入りのプラントポットになった

憧れのキャセロールを手に入れる

いつか絶対に迎えたい…と憧れ続けた
北欧のキャセロール（鍋）がある
iittala《イッタラ》のサルパネヴァという
鉄製のキャセロール
フィンランドでは切手のデザインに
なったこともあるほどの傑作だ

映画『かもめ食堂』で主人公のサチエさんが
肉じゃがを作っていたのも
このサルパネヴァで…
いつか…フィンランドに
住むという夢が叶ったら
この鍋をお迎えしよう！
そんな憧れを持ち続けてきた鍋だった

取手部分は天然の木材になっていて
キッチンやテーブルに出しっぱなしでも
その出で立ちが美しい
取手は蓋を持ち上げるためにも使うことができる
さらに鍋の内側はホーロー加工されているので
焦げ付きにくく 手入れも楽で実用的だ

びっくりしたのは
友人が会社からクリスマスプレゼントとして
従業員全員に贈られたのが
このサルパネヴァだということだ
会社から!?
取手に会社のロゴ入ってるよ
うん!
私だったら飛び跳ねて喜んでしまう!
そう力説したのは 私が『かもめ食堂』で
この鍋に一目惚れしたからだろうか
とにかく 一生大切にしたくなる特別な鍋なのだ

目にするたびに嬉しくなるキッチンアイテムに出会った

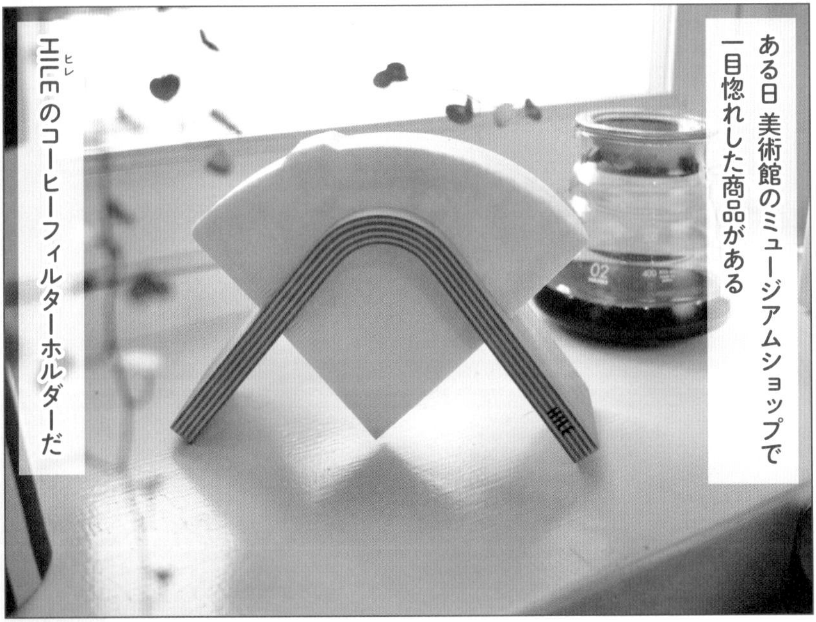
ある日 美術館のミュージアムショップで
一目惚れした商品がある
HILE《ヒレ》のコーヒーフィルターホルダーだ

ずっとコーヒーフィルターを
おしゃれに収納できる方法を
考え続けていた私は
きっ…君こそ私が
探し求めていた子だ!!
見つけた瞬間にこれだ! と確信し
家に連れ帰ったのだ

シンプルを極めたそのデザインは
白樺の素材感が活きていて…
美しい…
紙や鉄×木材の
異素材の組み合わせが
好きすぎるッ…!!
これも!
キッチンを見るたびに
嬉しい気持ちになるほど気に入っている

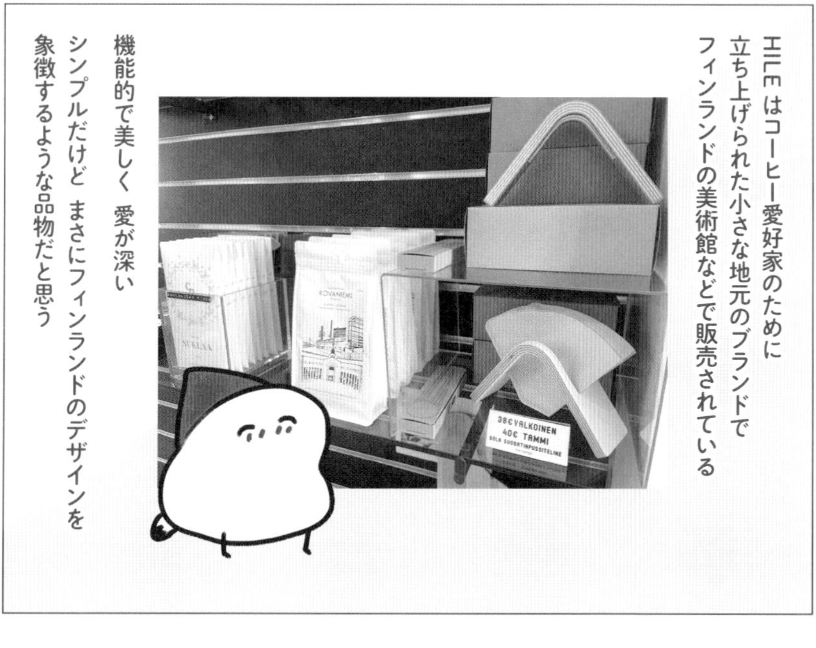
EILE はコーヒー愛好家のために
立ち上げられた小さな地元のブランドで
フィンランドの美術館などで販売されている
38€ VALKOINEN
40€ TAMMI
SOLA SUODATINPUSSITELINE
ROVANIEMI
機能的で美しく 愛が深い
シンプルだけど まさにフィンランドのデザインを
象徴するような品物だと思う

エストニア食品店は干物天国だ

フィンランドにちょうどいい
お酒のアテがないことを嘆いていたら…
フィンランドの
おつまみコーナーは
チップスとジャーキーが
メインだけど…
スルメが恋しい…
あるよ
フィンランド在住歴の長い日本人の同僚が
〝フィンランドで手に入るつまみ〟の
極秘情報を教えてくれることになった

駅で待ち合わせて向かったのは…
エストニア食品店！
ココ！
エストニア!?
エストニアを筆頭に　ロシアやバルト三国の食材が
お買い得な価格で並ぶ店内は
見たことのないパッケージに溢れていて
思わず胸が高鳴る…！

MAP

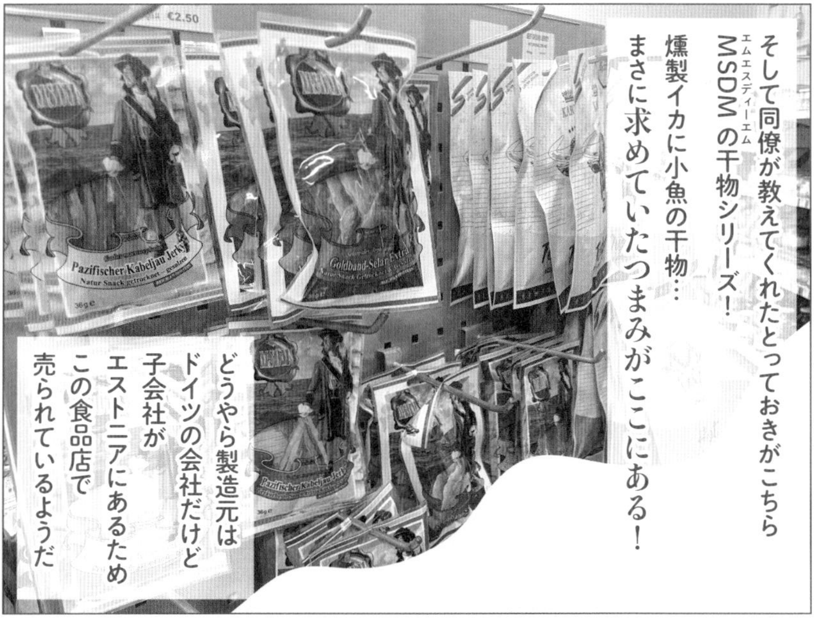
そして同僚が教えてくれたとっておきがこちら
MSDM《エムエスディーエム》の干物シリーズ！
燻製イカに小魚の干物…
まさに求めていたつまみがここにある！
どうやら製造元はドイツの会社だけど子会社がエストニアにあるためこの食品店で売られているようだ
Pazifischer Kabeljau Jerky
Goldband-Selar Extra
€2.50

ちなみに味は日本で食べていた燻製イカそのもの…！
小さなパッケージサイズもちょうどいい
なんでこんなに同じ味なのか不思議ですよね
本当に不思議でしみますッ…
はわわわ…
エストニア食品店はフィンランドにいながら エストニアも日本も感じられる不思議で有難いスポットだ

風変わりなイースターエッグは楽しい

イースターの時期になると
スーパーにいろんな種類の
イースターエッグが並ぶ
定番のムーミンから
ウサギ型のチョコレートまで様々だ

中でもフィンランドならではの定番がFazer《ファッツェル》の卵チョコレート！
なんと本物の卵の殻に
上質なミルクチョコレートが詰まっているのだ
1個入り→
←4個入り
外は→
卵で…
割ると中は
↙チョコ！
パッケージも本物
みたいでかわいい…
かぶり付くもよし　スライスするもよし
ミルクに溶かしてホットチョコレートにするのも
おすすめの楽しいチョコエッグだ

ヘルシンキ大聖堂前にサウナグッズの宝庫がある

ここはヘルシンキ大聖堂の目の前にある
お土産屋さんとサウナグッズ店が融合した
Finnska《フィンスカ》 souvenirs《スーベニア》 / sauna《サウナ》 boutique《ブティック》
こ…ここにあったのか!!
以前サウナグッズを買いたくて
品揃えの豊富な店を探していた時
まさに灯台下暗し…大聖堂前にある
このお土産屋さんの品揃えが抜群にいいことを知ったのだ…!

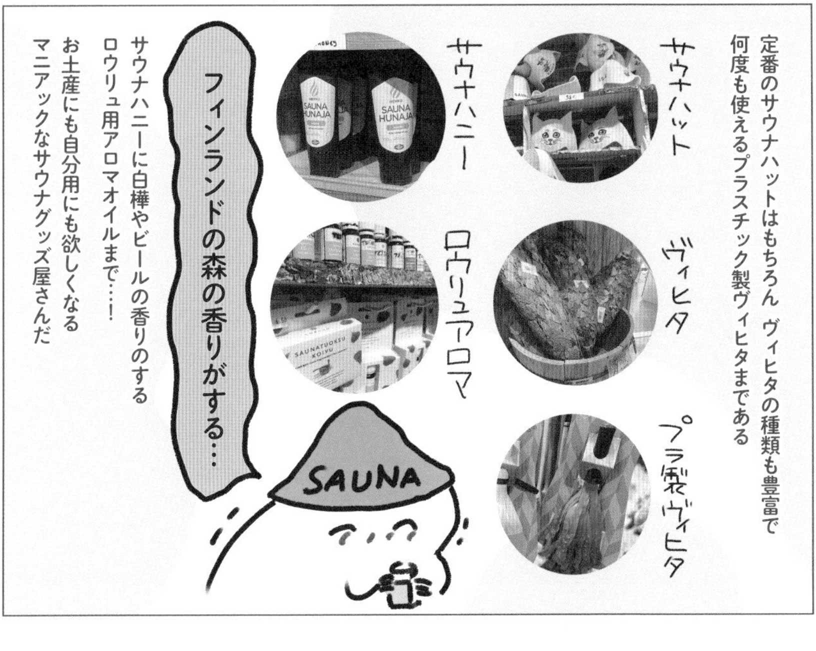
定番のサウナハットはもちろん ヴィヒタの種類も豊富で
何度も使えるプラスチック製ヴィヒタまである
サウナハット
ヴィヒタ
プラ製ヴィヒタ
サウナハニー
ロウリュアロマ
フィンランドの森の香りがする…
SAUNA
サウナハニーに白樺やビールの香りのする
ロウリュ用アロマオイルまで…!
お土産にも自分用にも欲しくなる
マニアックなサウナグッズ屋さんだ

MAP

自分の部屋に合ったお気に入りのカーペットを探す

ある日ふとインスタグラムで目に留まり
思わずすぐに実店舗へと駆け込んだ
フィンランドのラグブランドがある
何ここッ…
アート
ギャラリー…!?
フィンランドデザインの
ホームテキスタイルを手がけるFinarte《フィンアルテ》だ

コンセプトショップの扉を開けると
飛び込んでくるのはカラフルで独創的なラグ!
ゆっくり見てくださいね〜
Kiitos!
重なり合ったラグも
店員さんが慣れた様子で捲り上げて
一つひとつのデザインを見せてくれる

MAP

北欧のテキスタイルデザインがそのままフワフワのカーペットに……!
わぁぁ……
おしゃれなモノクロデザインから幾何学なポスターアート的ラグまで珍しいものが多くて 思わず見入ってしまう

すべてのラグは手織りで月額55€からレンタルできるサービスもあるらしい
お部屋に合うラグを選んでほしいんです
ちなみにフィンランドのおしゃれなインスタグラマーさんはこのラグを持っている印象…!
部屋の印象を左右するラグだからこそお気に入りの1枚を見つけたいと思った

家電量販店にはその土地の暮らしが表れている

海外の家電量販店を巡ると見えてくる
その土地ならではの生活感が好きだ
ここはヘルシンキ最大の家電量販店
海辺にあるVerkkokauppa.com《ヴェルッコカウッパドットコム》
ウェブショップもあり
フィンランドのヨドバシカメラ的な立ち位置のお店だ
外壁がヨドバシカメラっぽい！

店内に入るとすぐ目に飛び込んでくるのは
ピカッと明るい〝太陽ライト〟！
日照時間の短い北欧の冬の定番で
部屋の中でも太陽の光を感じられる
ライトセラピーのための照明だ
まッ…まぶしいッ！
ニョロニョロのライトもあった→

MAP

そして奥に進むと
大きなアウトレットコーナーが！
どうやら外箱が潰れてしまったものや
見本として陳列していた商品を
格安で販売しているようだ
Outlet-
kuntoluokat
A
B
C
D
所狭しと不規則に並んだ商品の山から
宝探しをするように買い物を楽しむ
お客さんたちが印象的だった

ちなみに Verkkokauppa ビルの真横にあるのは
日本でも度々話題に上る小便小僧…！
Bad Bad Boy という彫刻で 高さ 8.5 mもある
ここにいたのかッ…
Tili
家電とアートが交わる不思議な空間だ

北欧デザインのウェブショップを眺める

北欧デザインの家具を買いたい… そう思った時に
最初にチェックするウェブサイトがある
FINNISH DESIGN SHOP
Pieces of Nordic Happiness
Design Stories
DESIGN STORIES
Mitä enemmän, sen ihanampaa
Herkullisia värIyhdistelmiä, kiehtovia koristeita ja runsaita kuoseja – katso seitsemän maksimalistin kotiin istuvaa designhelmeä, jotka sopivat erinomaisesti myös lahjaksi.
Löydä suosikkisi
時間が溶ける…！
その名もずばり　フィニッシュデザインショップ
北欧デザインをメインに扱う人気のウェブショップだ

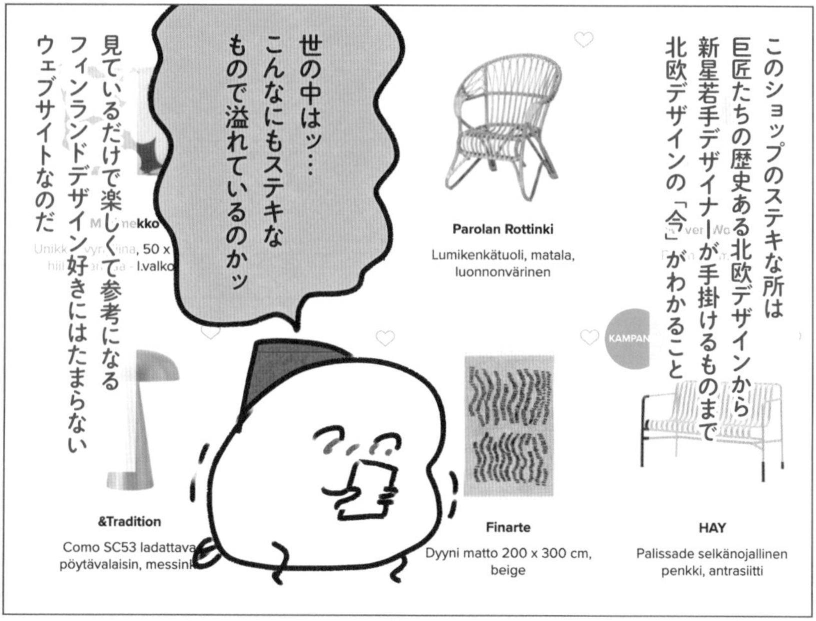
このショップのステキな所は
巨匠たちの歴史ある北欧デザインから
新星若手デザイナーが手掛けるものまで
北欧デザインの「今」がわかること
Parolan Rottinki
Lumikenkätuoli, matala, luonnonvärinen
世の中はッ…
こんなにもステキな
もので溢れているのかッ
見ているだけで楽しくて参考になる
フィンランドデザイン好きにはたまらない
ウェブサイトなのだ
&Tradition
Como SC53 ladattava pöytävalaisin, messink
Finarte
Dyyni matto 200 x 300 cm, beige
HAY
Palissade selkänojallinen penkki, antrasiitti

北欧の靴下屋さんでプレゼントを選ぶ

ヘルシンキの街を歩いていると見かける
カラフルでかわいい靴下屋さんがある
スウェーデンのソックスブランド
Happy《ハッピー》 Socks《ソックス》だ
な…なんだ
このキュートな
お店はッ…

ソーセージ柄やコーヒー柄など
ユニークなデザインが目白押しで
靴下一つひとつに友人の顔が浮かぶ
ギフトボックス
日本の家族にも
プレゼントした
靴下は北欧のクリスマスプレゼントの定番の1つ
かわいいギフトボックスも充実しているので
贈る相手の顔を思い浮かべながら靴下を選ぶ…
そんな時間も楽しい靴下屋さんだ

MAP

着ると気分が上がる普段着がある

Marc O'Polo
アウトレットなどで入手した
marimekko《マリメッコ》の洋服が
普段着になった頃……
着ると少し嬉しくなる
服のブランドがまた1つ増えた
おめかし…
スウェーデンのストックホルム発で
「自分らしく自由に」がコンセプトの
アパレルブランド MARC《マルコ》 O' POLO《ポーロ》だ

デザインはモダン・シンプルで
スウェーデンらしいシュッとした服が多い
シュッ
シンプルでラフだけど
着ると少し気分が上がる
marimekko とはまた違った
新しい普段着の1つだ
シュ

MAP

クセ強ショップにある個性的な本が好きだ

私が愛してやまないクセ強ショップが
ヘルシンキの中心部にもう1つある…！
現代アートの美術館 Amos《アモス》 Rex《レックス》 に併設されたショップだ

クセ強ショップ
大好きッ…!!

ここでは他ではなかなか見かけない
クセが強めの雑貨やアパレル商品が手に入る

中でも私のテンションが上がるのは
個人出版されている個性的な本たち！
大量印刷では不可能だったであろう手法で
工夫を凝らして作られたマガジンや写真集が並ぶ
現像した写真が
何十枚も入った封筒…!?
どんな思いで
この本を作ったのだろう…
こだわりのアイデアや製本に
思いを馳せるのも楽しい時間なのだ

MAP

お気に入りの眼鏡を作ると毎日少し嬉しくなる

ヘルシンキのショッピングセンターにはチェーン店の眼鏡屋さんが多くあるけれど…小さな町の眼鏡屋さんを巡るのが好きだ
OptiiCat
ここだ！
MAP
友人に北欧デザインのものが豊富な眼鏡屋さんがあるよと教えてもらい訪れたのがOptiicat《オプティキャット》というお店だ

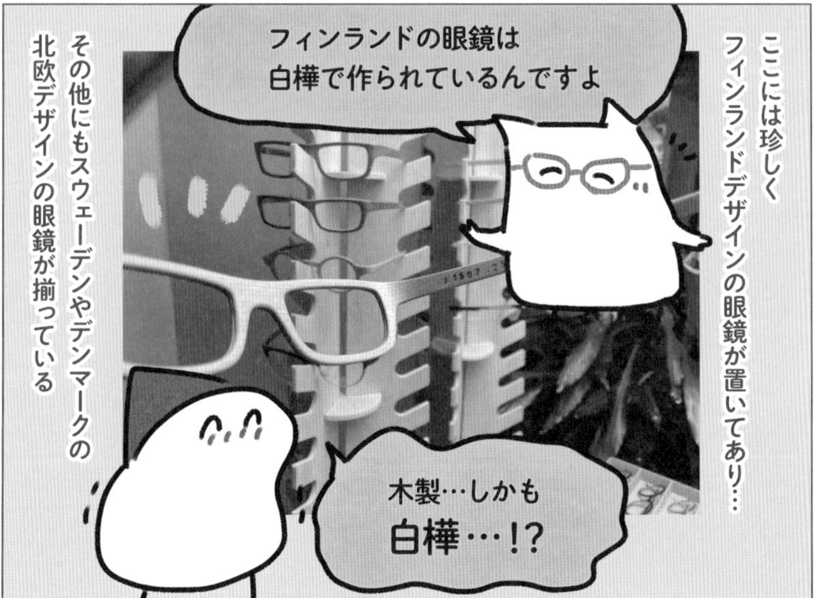
ここには珍しくフィンランドデザインの眼鏡が置いてあり…
フィンランドの眼鏡は白樺で作られているんですよ
その他にもスウェーデンやデンマークの北欧デザインの眼鏡が揃っている
木製…しかも白樺…!?

MAP

お店のマダムが優しく眼鏡について教えてくれて
デンマークデザインの眼鏡を作ることにした
自分に似合う眼鏡を見つけるコツってありますか…？
とにかく片っ端からかけてみることね
マダムがかけていたフランスデザインの個性的な眼鏡も店内にあり
また次もここで眼鏡を作りたいなと思った

店舗で視力検査を済ませて
2日後に眼鏡が出来上がった
（フレームやレンズの種類によって出来上がり時間は様々だそうだ）
レフト！
OK！ネクスト？
いつも使うものだから
お気に入りを買えてよかった…
眼鏡を見るたびに嬉しく思うのだった

ヘルシンキのストリートウェアは個性的なデザインでかわいい

ヘルシンキの大通りから1本ずれた道に
大きいのにひっそり佇む
アパレルショップがある
BEAMHILL
Beamhill《ビームヒル》という
ストリートファッションを扱う
セレクトショップだ

レディースだけでなくメンズも揃うこの店は
ヘルシンキのおしゃれな若者たちから
「フィンランド最高のストリートウェア店」と評判
フィンランド
ブランドの
スニーカーも！
北欧ブランドをはじめ
世界中の新作スニーカーが揃うことでも有名だ

MAP

レディースコーナーには北欧ブランドの
個性的なワンピースも勢揃い！
素材もサスティナブルだ
カッ…カラフルで
かわいい…
クローゼットの中に
いてほしい…
ちゃんと
着る…？

ちなみに個性的なセレクトショップで
もう1つのお気に入りは
雑貨店も運営する
My《マイ》 O《オー》 My《マイ》 のブティック！
Netflixで
『ネクスト・イン・ファッション』に
ハマってからというもの…
こだわりを感じる服を見ると
しびれるッ…！！
デザイナーの個性が炸裂した服たちは
見ているだけでも感性を刺激される……！
MY OMY

MAP

サンタクロース気分でおもちゃを選ぶ

妹や友人に子どもが生まれたことで
子どもへの贈り物を選ぶ機会が増えた
そんな時　何か海外ならではのものを…と思い
訪れる店が４つある
えッ！ あの子もう
5歳になったの!?
早い〜〜ッ
プレゼントする子どもの年齢に合わせて
行くお店を変えたり巡ったりするのだ

1軒目は本屋さん suomalainen《スオマライネン》 kirjakauppa《キルヤカウッパ》
フィンランド語だけでなく
英語の本や文字なしの絵本まで揃う
さらに知育系のおもちゃも売られていて
幅広い年齢へのプレゼントに対応できる！
これを機にあの子が
フィンランドを好きに
なったらいいな…
THE BOOK ABOUT MOOMIN and LITTLE MY
MOOMIN

MAP

2軒目は定番ムーミンショップで
特に Lasipalatsi《ラシパラツィ》の品揃えが最高…!
甥っ子に このムーミンのパソコンのおもちゃを贈った!
MOOMIN
3軒目はカンピセンター3階にある
トイザらス的品揃えの XS《エックスエス》 Lelut《レルト》!
フィンランドの木製おもちゃや
レゴに人形まで 定番の商品がずらりと揃う

MAP

MAP

最後は大人も欲しくなる
センスがよすぎるおもちゃ屋さん zicco《ジッコ》!
かッ…かわいすぎて
選べないッ…!!
子どもたちのギフト選びは難しくて
大人用よりも時間がかかるけれど…
まるで自分がサンタクロースになったような
温かい気持ちになれるのだ

MAP

秘密にしたいマリメッコショップを見つけた

マリメッコアウトレットといえば
本社併設のアウトレットが定番だけど
ヘルシンキ近郊には
他にも2つのアウトレットがあり…
marimekko
HELKAMA
ここVantaa《ヴァンター》にあるマリメッコアウトレットが
私の中で隠れた穴場になっている

中心地からトラムとバスで50分…
大きさも本社の4分の1と小さいけれど
その分レアな品物がたくさん見つかる!!
このスカーフ
まだ残ってる!!
わあああッ
ヒイイ～
この靴も本社アウトレットで
見たことないやつッ…
アウトレットでの出会いは一期一会
気分はまるで宝探しだ

MAP

さらに本社アウトレットは競争率が高い分
日本人に合う小さなサイズの服を
見つけるのは大変だけど…
Löytöjä
edullisesti
XXS-XS
S
こ…これはッ
神ッ!!
なんとここはサイズごとに分かれた
ラックコーナーがあり
XXS・XS・S専用の
ラックまであるのだ!!

こうして自分だけの穴場を
見つけられるとなんだか嬉しい
最高の場所
見つけちゃった!
ハピネス
ちなみに近くにはアウトドアショップの
アウトレットやセカンドハンドショップ
小さな牧場もあり
最近のお気に入りエリアだ

フィンランドにはラズベリーアイテムが豊富だ

私の妹はラズベリーが大好きで
フィンランドからラズベリーアイテムを
買ってきてほしいと2万円渡された
多ッ
ふうッ
チョコ ジャム スープ ハンドソープに化粧水まで
やっぱりフィンランドには
たくさんのラズベリーアイテムがあった!

妹のお気に入りはラズベリーのスープと
ドライラズベリーだったそうだ
味が濃くて
忘れられへん!!
よかったね
ふふ…
今でもお店に行くと
ついラズベリー商品を探してしまう

何杯でも飲みたくなるブルーベリージュースがある

フィンエアーで出されるブルーベリージュースが本当においしくて…
おいしすぎ…
何杯でも飲めるラ…
持って帰りたい!!
…といつも思っていたら

なんとスーパーで販売されていた!!
わぁぁぁ!!!
NORDIC KITCHEN
BLUE-BERRY JUICE DRINK
これでいつでも思う存分フィンエアーのブルーベリージュースを楽しめるようになった

楽しい紙専門店を見つけた

入った瞬間に一目惚れした店がある
Papershop《ペーパーショップ》
その名の通り紙の専門店だ
かわいすぎるッ
ラッピングペーパー ポストカード
ノートに文房具 紙製ボックスなど
紙にまつわるものでいっぱいの店内！

かわいいラッピングペーパーを買って
自作のブックカバーにするのも好きだ
Papershop
迷う…!!!
紙ものは値段も手頃で
用途を考えるのも楽しい…！

MAP

愛してやまない北欧デザインのキッチンアイテム

marimekkoのトレイ

長方形の小さなトレイはコーヒータイムにぴったり

marimekkoのキッチンタオル

いろんなデザインがあるので少しずつ買い足している

HILEのコーヒーフィルタースタンド

置いてあるだけで嬉しくなるシンプルなデザインが好き

iittalaの鍋

特別な気分になる、『かもめ食堂』にも登場したキャセロール

ムーミンママのキッチンタイマー

アバウトな時間しか測れないところも愛おしい

arabiaのムーミンマグ

旅行や転職など記念日ごとに買い足しているマグ

marimekkoの缶

セカンドハンド店で購入した缶にはコーヒー豆を入れている

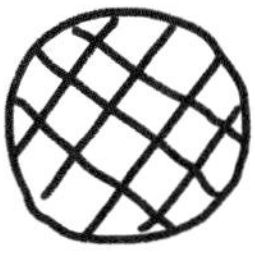

marimekkoの皿

あるお寿司屋さんで一目惚れしたお皿をアウトレットで購入

arabiaのカップ&ソーサー

ラップランドのセカンドハンドショップで購入したアラビアの食器

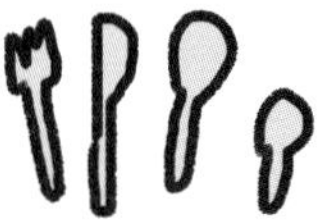

iittalaのカトラリー

引越してきた時に購入したシンプルなカトラリーセット

iittalaのビールグラス

このグラスで飲むとビールが3倍おいしく感じられる

FISKARSのハサミ

何かと便利なハサミもフィンランドの定番デザインをお迎え

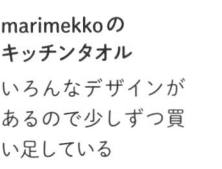

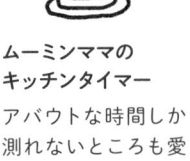

おすすめのお土産リスト

フィンランド土産の定番をご紹介。
フィンランドらしさを感じられ、喜ばれること間違いなしです。

お菓子

Fazerの板チョコ

定番のイチゴはたっぷり果肉が入っていておすすめ。

Fazerのチョコバー

お土産にちょうどいいチョコバーも、季節限定のフレーバーが楽しい。

マリアンネ

チョコレート入りのミントキャンディ。青色はキャラメルソース入り。

Brunbergの
チョコレート

とろけるトリュフチョコレートは、コーヒータイムのお供にぴったり！

ムーミンの
お菓子BOX

いろんなムーミンのお菓子が入ったギフトボックスは職場へのお土産に。

Fazerの
キツネゼリー

キツネが目印の砂糖がけゼリーは、かわいいデザインも愛おしい。

サルミアッキ

世界一まずいキャンディとして名高いサルミアッキは、Fazerのデザインのものがかわいい。

食品

粗挽きカルダモン

意外と日本で手に入りづらい粗挽きのカルダモン。シナモンロール作りには欠かせない！

シナッピ

甘いマスタードのシナッピは、ソーセージの最高のお供！ 赤色がおすすめ。

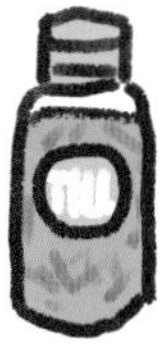

乾燥ディル

料理好きの友人には乾燥ディルをプレゼント。サーモンスープの仕上げに最高！

飲み物

カルフビール

フィンランドの定番ビールは、熊のマークが目印のカルフビール。クセがなくておいしい。

KYRÖの
ジン飲み比べセット

フィンランドのジン、ウイスキーの小さなボトルがセットになっている。

浅煎りコーヒー豆

フィンランドのコーヒーは浅煎りが定番。コーヒー好きにはカッファロースタリーを買う。

雑貨

marimekkoの靴下

marimekkoの靴下は丈夫で、何年経ってもはける。大胆なデザインも靴下なら使いやすい。

marimekkoの
ペーパーナプキン

スーパーにはいろんなデザインのものがあって目移りしてしまう、お土産の定番だ。

旅に役立つフィンランド情報

フィンランドについて

正式名称
フィンランド共和国（スオミ共和国）

首都
ヘルシンキ

フライト時間
ロシア上空を回避するルート運航の場合は約13時間。

人口
553万人（北海道とほぼ同じ）

面積
33万8,400km²（日本よりやや小さい）

自然
フィンランドは自然豊かな国で、国土の68％が森で、10％が湖沼と河川。高い山は少なく、最高峰でも1,324mで、森の中も明るい印象。

言語
公用語はフィンランド語とスウェーデン語。
ほとんどの人が英語も話せる。

日本国籍者の入国条件
パスポート…出国時に3か月以上の残存有効期間が必要。
ビザ…6か月間で90日以内の観光であればビザは不要。

通貨
€／ユーロ（1€=156円 ＊2023年8月現在）
ほとんどの店でクレジットカードが使用できる。私が旅行中に硬貨を使っていたのは、駅のトイレ（1€）とコインロッカー（1日4€〜）使用時のみ。

物価
およそ旅した感覚では、水1€、コーヒー4€、ランチ15€、ディナー25€、缶ビール2€、バーの生ビール8€ほど。チップは不要。

時差
日本の−7時間（3月の最終日曜〜10月の最終日曜はサマータイムとなり、−6時間になる）

ビジネスアワー
ショップは月〜金曜の9〜18時、土曜は9〜14時頃で、日曜は休みのお店が多い。最近は遅くまで営業しているお店も多いけれど、お目当てのお店やマーケットの営業時間は事前にチェックしておくと◎。

飲料水
水道水を飲んでも問題ないけれど、心配な場合は飲料水を買おう。

電圧とプラグ
日本と異なり220/230V、50HZ。
プラグは丸2ピンのCタイプ。

トイレ
商業施設や観光施設には公衆トイレが設置されている。デパートSTOCKMANN（ストックマン）のトイレは無料で使用できるけれど、ヘルシンキ中央駅のトイレは有料で1€の硬貨が必要。

空港から市内へ
ヘルシンキ・ヴァンター空港からヘルシンキ中央駅までの移動手段は、鉄道・バス・タクシーがある。
所要時間は30〜45分。

気候
ヘルシンキの気温は、夏は25°C前後、冬は−5°C前後。白夜（夏）と極夜（冬）があり、ヘルシンキでも夏は23時頃まで明るく、冬は15時には暗くなる。

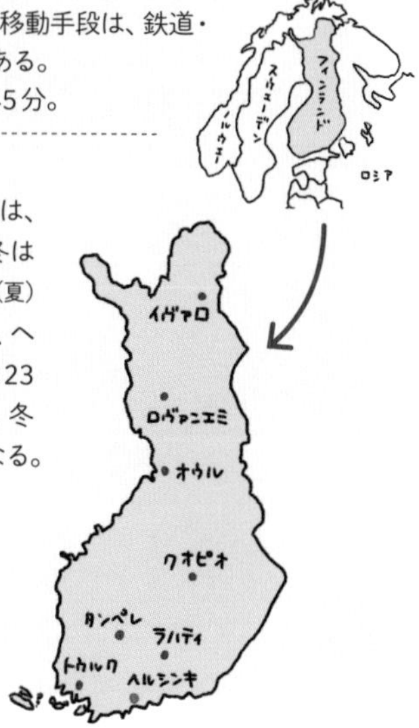

フィンランド旅でよく使うアプリ

フィンランド旅で活躍する便利なアプリをご紹介！

航空券・ホテル予約アプリ エクスペディア
航空券もホテルも予約できる。当日に急な宿泊先の検索もできて便利。

宿泊先の予約アプリ Airbnb
空き部屋やコテージのレンタル、現地アクティビティの予約ができる。

地図アプリ Googleマップ
これさえあれば迷子知らず！ 事前に行きたい場所を保存しておくのもおすすめ。オフラインマップ機能を使えばヘルシンキの地図がダウンロード可能で、Wi-Fiが繋がっていなくてもマップ上で現在地がわかるので便利。

交通アプリ HSL
ヘルシンキ市内のトラム・鉄道・地下鉄・バス・フェリーのチケットが、このアプリからすぐに購入できる。

スクーターレンタルアプリ Voi
ピンク色の電動スクーターのレンタルができるアプリ。使い方は初回にクレジットカードを登録し、アプリでスクーターのQRをスキャンするだけでOK。

通貨アプリ 為替情報Lite
世界中の通貨が、日本円でいくらか調べることができる。買い物する時に大活躍。

割り勘アプリ Splitwise
支払ったお金を登録していけば、最終的に誰にいくら支払えばいいかを計算してくれる。使用通貨も指定できるので、誰かと一緒に旅行する時に便利！

翻訳アプリ Google翻訳
入力はもちろん、カメラでフィンランド語を読み取っての翻訳もできる。レストランで何のメニューかわからない時にも便利。

写真共有アプリ Instagram
タグを辿って写真で検索できるので、おいしそうなレストランを探したり、旅の情報収集をしたりするのにぴったり！ 旅に持っていく服に迷う時も、現地のリアルな装いをチェックできる。おすすめのタグは「#helsinkirestaurants」「#myhelsinki」

Wi-Fiについて

現地のSIMカード
フィンランドの「DNA」というキャリアのSIMカードは、5日間使い放題で5€という驚きの安さ！ SIMカードは、R-kioskiというコンビニで購入できるので、フィンランドに着いたら空港内のR-kioskiですぐにSIMカードを購入するのが◎。

街中のWi-Fi
ちなみにデパートSTOCKMANN（ストックマン）の店内にはフリーWi-Fiがあり、私もSIMカードを使い始めるまでは毎回ストックマンでWi-Fiを借りていた。ホテルやR-kioskiにもフリーWi-Fiがあるので、ヘルシンキ市内でネット難民になることはない。

おわりに

ああ、私これが好きだな。

そう感じる瞬間は、ふわっと心が躍るような気がする。

散歩中に見つけた小さなお店、ヘルシンキ中央駅の懐かしい香り、
何もしないコテージでの時間。
激しい衝動ではなく、静かなそよ風のような「好きだな」の気持ち。

忙しない日々を過ごす中、小さな心の機微に気付けないこともあるけれど
「やっぱり、また来てしまった」という必然の再会が
「今の自分が好きで、求めていること」を教えてくれた。

出会いは偶然でも「また会いたい」そう感じた瞬間から、
その出会いはきっと自分の人生の一部になっていくのだと思う。

フィンランドの人たちに教えてもらった大切なこと。
〝自分の旅も、暮らしも、人生も、誰かのモノサシではなく自分らしく決めていい〟

そして時には、誰かの好きなものを好きになりながら
自分らしい好きを探してみるのもいい。

真っ白な場所で始まった新しい暮らしに
「好きだな」の気持ちを詰め込んだ1年間。

嬉しい時も、悲しい時も、それぞれに寄り添う「好き」との出会いがあったから、
きっと私はこれからも「その感情だからこその出会い」を信じられる気がする。

ヘルシンキ中央駅にある深夜の静かなビールバーも、
家でも職場でもない「私のサードプレイス」と呼べる島も、
そして思い切ってラップランドに旅立つことのできる夜行列車も。

この街で喜怒哀楽と春夏秋冬を過ごしたからこそ出会えた
愛してやまないルーティンたちだから。

この本を読んでくださった方々にとって、
心の紆余曲折に寄り添うルーティンは何だったか……
そんな話をいつかできると嬉しいです。

このたびは本書を手に取ってくださり、本当にありがとうございました。
これから先も、新しいルーティンを一緒に楽しめることを願って。Kittos & Moimoi!

週末北欧部 chika

デザイン=廣田 萌、游 瑀萱（文京図案室）
校正=聚珍社
編集=安田 遥（ワニブックス）

マイフィンランドルーティン100

ヘルシンキ暮らし編

北欧好きをこじらせてついに移住した私が 暮らしの中で見つけた愛してやまないこと

著者=週末北欧部 chika

2023年10月2日 初版発行

発行者=横内正昭
編集人=青柳有紀

発行所=株式会社ワニブックス
〒150-8482
東京都渋谷区恵比寿4-4-9 えびす大黒ビル
ワニブックスHP = http://www.wani.co.jp/
（お問い合わせはメールで受け付けております。HPより「お問い合わせ」へお進みください）
＊内容によりましてはお答えできない場合がございます。

印刷所=株式会社美松堂
DTP =株式会社オノ・エーワン
製本所=ナショナル製本

＊本書に掲載されている情報は2023年8月現在のものです。

ISBN 978-4-8470-7348-9